PRIMEIRAS ESTÓRIAS

40 Anos Livros

João Guimarães Rosa

Primeiras Estórias

Apresentação de Alberto da Costa e Silva

Ensaio de Paulo Rónai

2ª impressão

EDITORA NOVA FRONTEIRA

EDIÇÃO ESPECIAL

EDITORA NOVA FRONTEIRA S.A.
Rua Bambina, 25 – Botafogo – 22251-050
Rio de Janeiro – RJ – Brasil
Tel.: (21) 2131-1111 – Fax: (21) 2537-2659
http://www.novafronteira.com.br
e-mail: sac@novafronteira.com.br

CIP-Brasil. Catalogação-na-fonte
Sindicato Nacional dos Editores de Livros, RJ.

R694p Rosa, João Guimarães, 1908-1967
Primeiras estórias / João Guimarães Rosa. – 1. ed. especial. – Rio de Janeiro : Nova Fronteira, 2005
(40 Anos, 40 Livros)

ISBN 85-209-1798-4

1. Ficção brasileira. I. Título. II. Série.

CDD 869.93
CDU 821.134.3(81)-3

Sumário

Nota do Editor

Com o objetivo de trazer a público uma nova e bem-cuidada edição das obras de João Guimarães Rosa, trabalhamos neste relançamento com duas prioridades: atendendo a uma solicitação já antiga de nossos leitores, foi elaborado um novo projeto gráfico, mais leve e arejado, permitindo uma leitura mais agradável do texto. Além disso — e principalmente —, procuramos também estabelecer um diálogo com antigas edições da obra de Guimarães Rosa, cuja originalidade do texto levou seus editores, algumas e já registradas vezes, a erros involuntários, sem que, infelizmente, contemos ainda com a bem-humorada acolhida desses erros pelo próprio autor, como afirmam alguns de seus críticos e amigos, entre eles Paulo Rónai.

Assim, a presente edição de *Primeiras Estórias* baseou-se no texto da 5ª edição da obra, publicada em 1969, sendo feitas apenas, porque posteriores ao falecimento do escritor, as alterações de grafia decorrentes da reforma ortográfica instituída pela lei de 18 de dezembro de 1971, que aboliu o trema nos hiatos átonos, o acento circunflexo diferencial nas letras *e* e *o* da sílaba tônica de palavras homógrafas e o acento grave com que se assinalava a sílaba subtônica em vocábulos derivados com o sufixo *–mente* e *–zinho*.

Quanto a outras grafias em desacordo com o formulário ortográfico vigente, manteve-se, nesta edição, aquela que o autor deixou registrada na edição-base. Utilizamos ainda outras edições tanto para corrigir variações indevidas como para insistir em outras. Essas grafias em desuso podem parecer simplesmente uma questão de atualização ortográfica, mas, se essa atualização já era exigida pela norma quando da publicação dos livros e de suas várias edições durante a vida do autor, partimos do princípio de que elas são provavelmente intencionais e devem, portanto, ser mantidas. Para justificar essa decisão, lembramos aos leitores que as antigas edições da obra de Guimarães Rosa apresentavam uma nota alertando justamente para a grafia personalíssima do autor e que algumas histórias registram a sua teimosia em acentuar determinadas palavras. Além disso, mais de uma vez em sua correspondência, ele observou que os detalhes aparentemente sem importância são fundamentais para o efeito que se quer obter das palavras.

Esses acentos e grafias "sem importância", em desacordo com a norma ortográfica vigente (mas "a língua e eu somos um casal de amantes que juntos procriam apaixonadamente, mas a quem até hoje foi negada a bênção eclesiástica e científica"), compõem um léxico literário cuja variação fonética é tão rica e irregular quanto à da linguagem viva com que o homem se define diariamente. E ousamos ainda dizer que, ao lado das, pelo menos, treze línguas que o autor conhecia e utilizava em seu processo de voltar à origem da língua, devemos colocar, em igualdade de recursos e contribuições poéticas, aquela em cujos "erros" vemos menos um desconhecimento e mais uma possibilidade de expressão, e por isso também "terá de ser agreste ou inculto o neologista, e ainda melhor se analfabeto for".

Com esse critério, a certeza de que algumas dúvidas não puderam ser resolvidas, e uma boa dose de bom senso, esperamos estar agora apresentando o resultado de um trabalho responsável e consistente, à altura do nome deste autor, por cuja presença em nossa casa nos sentimos imensamente orgulhosos.

2005.

Estas *Primeiras estórias*

Alberto da Costa e Silva

REPITO MAIS UMA VEZ: JOÃO GUIMARÃES ROSA ESCREVEU um romance, novelas e contos como se fizesse poesia. Sabendo que as palavras, além de significado, "têm canto e plumagem", e que as frases não devem ser gaiolas, mas, sim, espaço e, no espaço, vôo. Não se quis discursivo, persuasivo, lógico. Preferiu ser expressivo, perscrutador e lúdico. Perseguiu uma prosa permanentemente emocionada, uma prosa que fosse uma seqüência de versos de verdade — e não apenas pela marcação do ritmo e pela contagem dos pés —, versos construídos com a força dos substantivos e o matrimônio de palavras que, juntas, se desbanalizam, readquirem a pureza semântica e os timbres primitivos, ou se mostram com novos valores que nelas não sabíamos.

A prosa que foi sua era bem distinta daquela que Malherbe assemelhou ao caminhar. Teve a prosa como dança, isto é, como poesia, a dar fundamento no homem ao mundo que o cerca. E, por saber que, ao contar, o contador se apossa da vida e que lhe cabe refazê-la na estória, quis que as palavras, nos seus textos, continuamente se movessem e não perdessem o volume, o cheiro, a textura, a cor e o peso. Não se estranhará, por isso, que desse a um de seus livros o nome de *Corpo de baile* e que chamasse "poemas" às sete novelas que ocupam as suas mais de oitocentas páginas.*

---

* A partir da edição portuguesa de 1963, *Corpo de baile* passou a ser publicado em três volumes independentes: *Manuelzão e Miguilim, No Urubuquaquá, no Pinhém* (em Portugal, *A aventura nos Campos Gerais*) e *Noites do sertão.*

Poema também, e poema épico, e tão próximo das canções de gesta, seria um outro livro de Guimarães Rosa. *Grande sertão: veredas* não é apenas mais um descendente da epopéia, como qualquer outro romance. É uma epopéia moderna, em aparente prosa. Como a *Odisséia* e *Os lusíadas*, é um longo poema de viagem, de navegação, de travessia — palavra que se repete insistente em todo o livro e lhe anuncia o ponto final. Um peregrinar em guerra, tal qual a *Ilíada* e a *Canção de Rolando*, e em busca da Graça, como *A demanda do Santo Graal* e *A divina comédia*. Nesse livro de Rosa sobre o mistério e a grandeza feérica do mundo, entrelaçam-se, ao tema da viagem como missão e destino, o enredo da tentação e do pacto fáustico e o da donzela que se faz soldado. Tudo a passar-se num sertão que é real e símbolo — as desmesuradas terras sem lei do interior do Brasil, onde mandavam a audácia e a coragem, e o mundo todo, e o inexplicável e o irracional, e a bondade e a maldade, e o destino e o demônio, e o que o homem de si mesmo não sabe, as suas profundezas.

A mais demorada, e talvez sem fim, de todas as viagens do universo rosiano não precisou, porém, de um poema longo. Coube em menos de meia dúzia de páginas a estória do homem que construiu uma canoa e nela embarcou, no meio das águas, "para dela não saltar, nunca mais". Não tendo, para um curto olhar, "ido a nenhuma parte", pois não abandona as proximidades de sua casa, ele se deixa envelhecer "no devagar depressa dos tempos", sempre em sua navegação, "numa canoinha de nada, nessa água, que não pára, de longas beiras", a tentar a travessia até "a terceira margem do rio". E este é o nome, "A terceira margem do rio", da obra-prima que figura nestas *Primeiras estórias*, que eu comparo, já que *Corpo de baile* e *Grande sertão: veredas* são poemas longos, a um livro de sonetos.

Aqui todas as aventuras correm rápidas, mesmo quando jamais terminam. E alguns desses contos são, na verdade, poemas breves, intensos e belos, de fluência perfeita como a de um bom soneto, como, por exemplo, "A menina de lá", "Nenhum, nenhuma", "Substância" e "Os cimos". Alguém poderia aproximá-los dos poemas em prosa de Baudelaire. Mas Guimarães Rosa ambicionou muito mais que isso, e muito mais que a escrita artística dos irmãos Goncourt. O que desejou e obteve foi "uma textura verbal que cobre a dupla extensão" da prosa e da poesia, gerando "uma nova forma de expressão literária", em que "se fundem, de modo orgânico", as duas categorias, e à qual um grande poeta, Oswaldino Marques, ao estudar a obra de Rosa, deu o nome de "prosoema".

Prosoema é "Quadrinho de estória", do livro que faz par com este, *Tutaméia*. Prosoema é esta obra-prima de reinvenção da oralidade, publicada no volume póstumo *Estas estórias*, "Meu tio o Iauaretê", em que se somam o português do sertão, o nheengatu e o rosnar da onça. Prosoemas são tantas das páginas que Guimarães Rosa estampou, entre 1947 e 1967, em revistas e jornais, e que se abrigaram entre as capas de *Ave, palavra*: "Péduro, chapéu-de-couro", as imagens líricas e cheias de humor dos aquários de Nápoles e Berlim e dos zoológicos de Londres, Rio de Janeiro, Hamburgo e Paris, assim como os textos sobre o riachinho Sirimim e as suas garças. Prosoemas são aquelas duas belíssimas invenções (ou descobrimentos) — "Evanira!" e "A caça à Lua" (de outro volume póstumo, *Ave, palavra*) —, nas quais os versos estilhaçam os parágrafos do que parece prosa.

Tanto nestas *Primeiras estórias* quanto em *Tutaméia*, Guimarães Rosa favoreceu o caso, de enredo curto e cheio de surpresas. A pista disso ele nos dá no próprio título do volume: seria o primeiro de estórias, estórias que se querem o seu tanto parecidas à anedota, tal como Rosa afirma no prefácio a *Tutaméia*. Mas, se se assemelham às anedotas no inesperado do desfecho, não se apresentam rasas como elas: todas essas estórias se fazem de mergulho ou vôo. E mais: em muitos desses textos breves, o sertão continua vestido de Idade Média, com seus cavaleiros corteses, suas mulheres-damas que jamais perdem a condição de senhora a quem se serve por amor, e por quem se guerreia, e para quem se empreende a travessia dos medos.

A moça castelã não sai da obra de Rosa. Lá está, nestas *Primeiras estórias*, real ou dulcinéia, na torre e na sacada. Também medievo, o dono de terras reinventa, nos Campos Gerais, a vassalagem — em "Nada e a nossa condição", por exemplo — ou lhe segue, convicto, os preceitos — como na belíssima "Luas-de-mel" —, a caboclada a armar-se constantemente em cavaleiros. Nem falta o avesso do herói, numa paródia poética da paródia de Cervantes. Ele está em "— Tarantão, meu patrão", com o velho e a sua "doida escolta", os quatorze camaradas, mais quixotes que sanchos, alistados no caminho. Vamos sabendo, pouco a pouco, discretamente, no desenrolar da estória, por uma indicação aqui e outra ali, que o velho era amalucado, e "descendente de sumas grandezas e riquezas", e de "compridos alvos cabelos", e de "pernas compridas, engraçadas", e de "pescoço comprido, o grande gogó, respeitável", e "alto", e em tudo semelhante ao Cavaleiro da Triste Figura. Para não deixar dúvida, Rosa reescreve, na sua estória, aquele episódio do Quixote e de Sancho com as três lavradoras sobre três burricos. Em Guimarães Rosa, é só uma mulher, "pobrepérrima", a pé, com um feixinho de lenha e uma criança escarranchada nas ancas. O velho, de chapéu na mão e com todas as demais cortesias, "a fez montar em seu cavalo", "cuja rédea ele veio, galante, a pé, puxando". E assim a levou até o seu destino, um povoado, onde a "pobre e festejada mulher" se apeou, "menos agradecida que envergonhada".

Chega e parte a cavalo o moço que muito amou e ainda mais amará. E vêm de longe, de onde muitas vezes não se sabe, os desterrados, os peregrinos, os sofridos, os que carregam consigo a morte e o destino dos outros. Tudo como conta o povo. Mas com outra força, intensidade lírica e complexidade psicológica, e com outro sentimento dos símbolos e uma visão transcendente e mística do mundo. O próprio Guimarães Rosa nos disse: "o mundo é mágico". E mágico, porque real. Buscou, por isso, reconstituir com precisão — e, portanto, feericamente — a realidade como a conheceu em diferentes dias e em diferentes idades, com os olhos, os ouvidos, as narinas, a pele e a alma do menino, e do moço, e do homem maduro, e de quem se sente a morrer. No papel, com a palavra escrita, quis recompor as ranhuras e o verde das folhas, as altas copas das árvores, o azul claro das penas nos sanhaços, o pio da coruja, o encardido da pele dos vaqueiros, os moirões dos alpendres das casas de fazenda, o encher dos rios — e todos os seres, cousas e paisagens que estava a ver no momento ou que via em forma de lembrança. E, mais ainda, o que não ignorava haver aquém e além de seus olhos.

Poucos, pouquíssimos escritores souberam tão bem captar as iluminações da meninice quanto Guimarães Rosa. Os seus meninos são tão reais, e tão meninos, que cada um de nós neles também revê suas saudades. Não sei, por outro lado, de nenhum outro escritor que tenha sentido mais fundo a visão afetuosa que liga um guri aos animais. Os bichos — os passarinhos, a cabra e os cabritos, os cachorros, as formigas, os cavalos, o coelho, o tatu, o caxinguelê, e os peixes, e os macacos, e as galinhas com os pintinhos, e os bois, os muitos bois, sempre — são como intercessores entre as crianças e o mundo. O peru e o tucano põem a terra e o céu bem juntinho do Menino de "As margens da alegria" e de "Os cimos", nestas *Primeiras estórias.* Com a chegada do gato torna-se ainda mais deslumbrante o "Jardim fechado", de *Ave, palavra.*

Todo um bestiário pode ser retirado da obra de Rosa. Desde o burrinho pedrês, que abre *Sagarana,* até as garças que fecham *Ave, palavra.* Os animais, Rosa como que os desenhava e coloria em som e movimento. Como que os filmava. E os trazia até a nossa leitura, vivos por fora e por dentro, no essencial de suas formas, de seus gestos e de sua alma. Algumas vezes, com apenas uma dúzia de palavras ("a patativa, feliz fadazinha de chumbo, amiga das sementes"). Outras, com muitas mais: "O gaturamo, tão podido miúdo, azulzinho no sol, tirintintim, com brilhamentos, mel de melhor — maquinazinha de ser de bem-cantar..." E vemos: "O gato Sossõe, certa hora, entrava. Ele vinha sutil para o paiol, para a tulha, censeando os ratos, entrava com o jeito de que já estivesse se despedindo, sem bulir com o ar. Mas, daí, rodeando como quem não quer, o gato Sossõe principiava a se esfregar em Miguilim, depois deitava perto, se prazia de ser, com aquela ronqueirinha que era a alegria dele, e olhava, olhava, engrossava o ronco, os olhos de um verde tão menos vazio — era uma luz dentro de outra, dentro doutra, dentro outra, até não ter fim."

O compromisso de representar e, se possível, repetir o mundo em livros que pudesse ter consigo, como penhor de perdão, no

Juízo Final — parafraseio o próprio Rosa —, não podia excluir, no seu refazer dos homens, a fala deles. Guimarães Rosa é para ser lido como se ouvia: palavra a palavra, cada uma delas recarregada de vida. Ele busca restaurar, ao escrever, os jogos da oralidade. Toma a linguagem do sertão, a "fala pobre" e "de em-dia-de-semana" e a descobre rica, não só em saber nomear, mas em suas virtualidades sintáticas e expressivas. Se "dá um sentido mais puro às palavras da tribo", como queria Mallarmé, incorpora ao seu vocabulário termos cultos e de outros idiomas, rejuvenesce arcaísmos, soma, altera e inventa vocábulos — tudo sem se afastar do espírito e das regras de evolução da língua portuguesa. Para restituir ao discurso a função emotiva, Rosa altera a ordem das palavras na frase e recorre insistentemente às reiterações, aos expletivos, aos pleonasmos, aos superlativos e, sobretudo, aos diminutivos — com os quais derrama ternura sobre pessoas, bichos e cousas —, enquanto que, para fazer cantar a fala, alinha sabiamente frases de metro e ritmo em tudo diferentes, alonga e estreita pausas, explora sem descanso os timbres das palavras e não economiza o emprego das aliterações, das onomatopéias e das rimas soantes e toantes.

Escreve prosa, portanto, como se fizesse poesia. A repetir constantemente o seu espanto diante do esplendor do mundo. Órfãs, pobres, encardidas, doentes, solitárias, medrosas, violentas ou desgarradas, as personagens destas *Primeiras estórias* não ignoram a dor e o desamparo, mas, quando Guimarães Rosa as traz para bem perto, descobrimos que nelas, como em nós, "o mel do maravilhoso" cobre o pão de cada dia.

Um chamado João

João era fabulista?
fabuloso?
fábula?
Sertão místico disparando
no exílio da linguagem comum?

Projetava na gravatinha
a quinta face das coisas
inenarrável narrada?
Um estranho chamado João
para disfarçar, para farçar
o que não ousamos compreender?

Tinha pastos, buritis plantados
no apartamento?
no peito?
Vegetal êle era ou passarinho
sob a robusta ossatura com pinta
de boi risonho?

Era um teatro
e todos os artistas
no mesmo papel,
ciranda multívoca?

João era tudo?
tudo escondido, florindo
como flor é flor, mesmo não semeada?
Mapa com acidentes
deslizando para fora, falando?
Guardava rios no bôlso
cada qual em sua côr de água
sem misturar, sem conflitar?
E de cada gôta redigia
nome, curva, fim,
e no destinado geral
seu fado era saber
para contar sem desnudar
o que não deve ser desnudado
e por isso se veste de véus novos?

Mágico sem apetrechos,
civilmente mágico, apelador
de precípites prodígios acudindo
a chamado geral?
Embaixador do reino
que há por trás dos reinos,
dos podêres, das
supostas fórmulas
do abracadabra, sésamo?
Reino cercado
não de muros, chaves, códigos,
mas o reino-reino?

Por que João sorria
se lhe perguntavam
que mistério é êsse?
E propondo desenhos figurava
menos a resposta que
outra questão ao perguntante?

Tinha parte com... (sei lá
o nome) ou êle mesmo era
a parte de gente
servindo de ponte
entre o sub e o sôbre
que se arcabuzeiam
de antes do princípio,
que se entrelaçam
para melhor guerra,
para maior festa?

Ficamos sem saber o que era João
e se João existiu
de se pegar.

21. XI. 1967

Carlos Drummond de Andrade

Fac-símile do poema de Carlos Drummond de Andrade que foi publicado no *Correio da Manhã* de 22 de novembro de 1967, três dias após a morte de João Guimarães Rosa.

Os vastos espaços

Paulo Rónai

Situação de Guimarães Rosa

Desde 1962, quando saiu a primeira edição deste volume, João Guimarães Rosa não publicou nenhum outro livro. Entretanto, nestes últimos anos, a sua situação literária passou por modificação substancial. Transpondo as barreiras lingüísticas não só do próprio idioma, mas também as que o escritor parecia erguer adrede em torno da sua obra, esta inesperadamente se transformou em artigo de exportação: farejada pelos noticiaristas literários, descoberta por editores da Europa e da América, transposta a duras penas para as grandes línguas de cultura, ela está sendo saudada pela crítica internacional como a revelação de um universo novo e lida pelos públicos mais exigentes.

Que um ficcionista nosso, livre de vinculações políticas, avesso a qualquer facilidade e intransigente em seus padrões artísticos, tenha conquistado, pela autenticidade da sua mensagem, audiência internacional — isto abre novas perspectivas à valorização das letras brasileiras no mundo. E note-se que o conseguiu embora desfalcado de algumas de suas características mais peculiares, pois toda a arte dos tradutores, ainda que disponham da virtuosidade de um Meyer-Clason, não pode deixar de atenuar-lhe a torrencial força expressiva.

Daqui em diante a evolução dessa arte deixa de ser assunto interno: mesmo aos livros vindouros do ficcionista estão asseguradas, desde já, vasta expectativa e acessibilidade universal. Não é provável, contudo, que o reforçamento da acústica venha a exercer modificação sensível nos seus processos de criação. Como todo grande artista, o nosso autor escreve para si mesmo, para o próprio deleite, catarse e realização. É de esperar, portanto, que o saber-se ouvido por um auditório muitas vezes maior venha apenas corroborar-lhe a poderosa originalidade, exalçar-lhe as tendências íntimas, que, de volume a volume, se acusavam com maior vigor.

A amplitude do êxito é motivo de satisfação para os críticos brasileiros, que, logo depois do aparecimento do primeiro livro de Guimarães Rosa, souberam discernir-lhe o alcance ultranacional. O mais ouvido de todos, Álvaro Lins, apontou-o imediatamente como "o que deveria ser o ideal da literatura brasileira na feição regionalista: a temática nacional numa expressão universal".

Justificação desta nota introdutiva

A obra de Guimarães Rosa, de riqueza e complexidade crescentes, estimula cada vez mais o trabalho da exegese. Note-se, porém, que mesmo os críticos mais aparelhados para a tarefa só a empreendem com precauções e ressalvas, como que intimados a definir primeiro o próprio ofício e a precisar-lhe as limitações. Enquanto não explanada, a obra se constitui de um conjunto de sugestões inseparavelmente entrelaçadas; destacando uma ou outra, a explanação relega as demais à sombra, além de romper os fios de interligação. Por isso é que, ao apontar três planos superpostos em *Grande sertão: veredas*, mestre Cavalcanti Proença se apressa em acrescentar: "É preciso, porém, ressaltar o artificialismo desta simplificação, pois que as várias camadas se interpenetram, não sendo possível delimitá-las, mas unicamente acentuar-lhes as características e conexões que nos permitem esta divisão genérica. Decorre dessa complexidade uma abundância de elementos alegóricos, uma simbologia muito densa, além do caráter polissêmico das personagens."

Vilem Flusser, em sua notável glosa ao conto "As garças" (posterior a este volume), aponta outro perigo: a crítica "afrouxa a densidade e traduz o conto da camada vivencial para a intelectual". As tentativas de explicação acabam, sem querer, apoiando o traço de desenhos cuja magia está no esvaimento dos contornos, por dar expressão matemática a um conjunto em que não há equações perfeitas.

Oswaldino Marques, em seu penetrante ensaio "Canto e plumagem das palavras", todo ele consagrado à arte de Guimarães Rosa, julga indispensável uma definição prévia das tarefas da análise literária, uma das quais consiste em "tornar manifestos, *a posteriori*, os elos subconscientes da construção formal para definir os meios *originais* de que se valeu o artista no *tour de force* da imitação" (e, por se tratar de Guimarães Rosa, poderia ter dito "os elos subconscientes, e os conscientes, mas ocultados").

Adolfo Casais Monteiro, estudioso eminente dos problemas do romance, em face de *Grande sertão: veredas*, renuncia à pretensão exegética para apenas "refletir sobre o livro que nos deixou profunda impressão, para nos esclarecermos mais do que esclarecer seja quem for — e muito menos para ensinar nada ao autor".

Não é outra coisa que se propõe o prefaciador de *Primeiras estórias* ao tentar expor, mais uma vez, suas razões de deslumbramento e espanto ante um livro de Guimarães Rosa. De suas conversações com o autor, nas quais vislumbrou numerosos subentendidos que lhe tinham escapado durante a leitura, ficou-lhe a convicção de que mesmo ao olhar mais agudo seria impossível abranger a totalidade intrincada das intenções do mais consciente dos nossos escritores. Se, apesar disso, se atreve a perlustrar o mais labiríntico de seus livros, onde a perspectiva, a atmosfera e a temperatura emocional mudam mais de vinte vezes, é apenas para exemplificar uma das muitas maneiras de acercamento amoroso de uma obra de ficção com que as nossas letras contribuem para o enriquecimento da literatura mundial.

Por que "primeiras" e por que "estórias"?

Cada novo cume atingido é, para o artista criador, um triunfo e um perigo. A obra-prima realizada impõe a obrigação de superar-se.

Em *Corpo de baile*, Guimarães Rosa soube corresponder à expectativa suscitada por *Sagarana*; em *Grande sertão: veredas*, soube ir ainda mais além; e soube renovar-se nestas *Primeiras estórias*, que, não obstante o seu volume pouco alentado, formam outra etapa importante na reta da sua ascensão e obrigam o comentarista a rever suas apreciações anteriores. Há vinte anos, num artigo sobre *Sagarana*, antevi a vocação de romancista do futuro autor de *Grande sertão: veredas*, mas pus em dúvida seus dotes para o conto curto. Hoje estou persuadido de que suas inesgotáveis vivências se cristalizam, por assim dizer, automaticamente no gênero mais apropriado.

Na falta de precisões da "orelha" do volume, o título pede duas palavras de explicação.

O epíteto não alude a trabalhos da mocidade ou anteriores aos já publicados em volumes, e sim à novidade do gênero adotado, a *estória*. Esse neologismo de sabor popular, adotado por número crescente de ficcionistas e críticos, embora ainda não registrado pelos dicionaristas, destina-se a absorver um dos significados de "história", o de "conto" (= *short story*). A oposição conceitual resulta nitidamente deste trecho de "Nenhum, nenhuma": "Era uma velha, uma velhinha — de história, de estória — velhíssima, a inacreditável."

Embora o termo, hoje em dia, já apareça também sem conotação folclórica, referido às narrativas de Guimarães Rosa envolve-se numa aura mágica, num halo de maravilhosa ingenuidade, que as torna visceralmente diferentes de quaisquer outras.

Diversidade e unidade

Nisto já antecipamos a característica dominante da coletânea: sem embargo de sua extrema diferenciação, as vinte e uma estórias acabam dando uma impressão de homogeneidade perfeita — tal como as novelas de *Sagarana* se fundem em unidade, ou como as sete narrativas de *Corpo de baile* emergiram intimamente associadas da imaginação do artista.

Diversos, antes de mais nada, os assuntos: tente-se recontá-los em breves palavras para ver quantos. Diversas as situações, os problemas envolvidos e suas soluções. Note-se ainda que cada espécime pertence, por assim dizer, a outra variante ou subgênero — o conto fantástico, o psicológico, o autobiográfico, o episódio cômico ou trágico, o retrato, a reminiscência, a anedota, a sátira, o poema em prosa... Distinga-se a multiplicidade dos tons: jocoso, patético, sarcástico, lírico, arcaizante, erudito, popular, pedante — multiplicidade decorrente não só do tema, senão também da personalidade do narrador, manifesto ou oculto. Observa-se a variedade da construção e do ritmo.

Contudo as histórias se apresentam com inconfundível ar de família, nimbadas do mesmo halo, trescalando o mesmo perfume. O seu parentesco não se reduz a traços estilísticos: provém de uma concepção pessoal tanto da vida como da arte.

Cada estória tem como núcleo um acontecimento. Mas o sentido atribuível a esse termo não é o que lhe dão comumente os dicionários, isto é, não é sinônimo de ocorrência. "Parecia não acontecer coisa nenhuma", adverte-nos o contista certa vez; e em outra ocasião pondera, ainda mais explícito: "Quando nada acontece, há um milagre que não estamos vendo."

Os protagonistas de *Primeiras estórias* farejam esses acontecimentos, adivinham esses milagres. São todos, em grau menor ou maior, videntes: entregues a uma idéia fixa, obnubilados por uma paixão, intocados pela civilização, guiados pelo instinto, inadaptados ou ainda não integrados na sociedade ou rejeitados por ela, pouco se lhes dá do real e da ordem. Neles a intuição e o devaneio substituem o raciocínio, as palavras ecoam mais fundo, os gestos e os atos mais simples se transubstanciam em símbolos. O que existe dilui-se, desintegra-se; o que não há toma forma e passa a agir. Essa vitória do irracional sobre o racional constitui-se em fonte permanente de poesia.

Os que desencadeiam essa corrente e nela se banham sentem-na com toda a intensidade, mas encontram dificuldade em comunicá-la. Ainda que tenham o verbo fácil, falta-lhes o domínio da linguagem abstrata e exteriorizam suas fortes experiências íntimas com toda a sua riqueza de matizes numa língua concreta, saborosa e enérgica; a maioria, porém, compõe-se de taciturnos, desajeitados e ensimesmados, que nem tentam exprimir-se e passariam despercebidos pela vida se não encontrassem quem lhes emprestasse a voz. Reconstituir a fala daqueles, traduzir o silêncio destes — eis a tarefa do contista.

Até os contos que não se enquadram neste esquema representam, de uma ou de outra maneira, sondagens no inconsciente; assim a evocação e reconstrução, pelo adulto, de vivências infantis ou juvenis só parcialmente entendidas na época, ou o monólogo do introspectivo à procura do próprio eu sob as camadas superpostas pelas contingências do viver. O espetáculo tragicômico do demente encarapitado no alto de uma palmeira enseja um estudo de patologia individual, e outro, de patologia coletiva. As próprias narrativas anedóticas se prolongam, pelas alternativas sugeridas, num plano outro que não o real.

Cenário e substrato social

A maioria dos contos desenrola-se numa região não especificada, mas identificável como a das obras anteriores do autor: o mundo da sua infância e da sua mocidade. Menos onipresente do que naquelas, onde chega a desempenhar papel de protagonista, o cenário é esboçado com poucos toques, mas de extrema precisão. *Sunt nomina rebus*: bichos e plantas têm nome e atributos seguros; costumes e hábitos, misteres e fainas revivem na sua autenticidade minuciosa. As cenas enquadram-se na moldura de altos morros e vastos horizontes, amplos rios margeados de brejos, campos extensos de muito pastoreio e escassa lavoura, fazendas enormes — as do Pãodolhão, do Tôrto-Alto, do Casco, Congonha, Santa-Cruz-da-Onça, Lagoa-dos-Cavalos — forçosamente auto-suficientes, que se abastecem a si mesmas de víveres, artigos de primeira necessidade, folguedos, superstições e justiça. Acostumados a não encontrarem vivalma por muitas léguas, fazendeiros e agregados, desconfiados e pouco comunicativos, tornam-se reticentes mesmo no recesso da família; a falta de intercâmbio aparta-os dos demais; acabam encaramujando-se. Do ensimesmamento ao isolamento, deste à mania, o caminho é direto; os taciturnos calam-se de vez, e um dia surpreendem a família com o estouro da sua demência.

Nos intervalos das fazendas ocultam-se arraiais pobres, de reduzida povoação — o arraial do Breberê, o povoadinho do M'en-gano, o lugar chamado o Temor-de-Deus — sem quaisquer recursos de organização social. A lei do mais forte — a única existente — é exercida na fazenda sob formas paternalísticas pelo dono, assistido, para o que der e vier, dos rifles certeiros de alguns capangas; nas vilas, pelos valentões do lugar, detestados e temidos; nas escassas cidadezinhas, pela polícia local, que, para fazer-se respeitar, tem de pedir emprestados os métodos da arbitrariedade. Em contato com os elementos imemoriais da paisagem, nuvens e ventos, montes de perfil invariável, sendas de largura constante, as mesmas árvores, o mesmo gado, a vida corre numa rotina secular, regulamentada por vetustos códigos de honra que determinam inflexivelmente os deveres do parentesco, da amizade e da hospitalidade, assim como os da inimizade e do ódio.

Os vastos espaços desertos são povoados pelos devaneios da imaginação. Os riscos e os imprevistos da dura vida do dia-a-dia produzem resignação e fatalismo. Nos casarões da fazenda encontram-se à mesa parentes, amigos e comensais de incerta procedência; acotovelam-se crianças e macróbios sobreviventes de tempos idos; acolhem-se e escondem-se fugitivos; dissimulam-se segredos do clã. As raras quebras do ramerrão são motivos de alvoroço, espetáculo para os basbaques, agitação para os insofridos. A sede do sobrenatural gera santos e suscita milagres, matiza a religião de variantes animísticas.

Personagentes

Ocupar-me-ei mais adiante dos neologismos de Guimarães Rosa e da probabilidade de eles se incorporarem ao idioma. Em todo o caso, "personagente", mais que personagem e menos que protagonista, é dos que poderiam introduzir uma nuança útil na nomenclatura da crítica.

Pois bem, na multidão de figurantes de *Primeiras estórias*, os "personagentes" quase todos pertencem a duas categorias, a de loucos e a de crianças. Os da primeira são particularmente numerosos. Rodeados da áurea de sapiência e santidade de que os cerca o povo, exibem infindáveis esfumaturas e gradações da demência. Impossível traçar, aliás, a linha de demarcação entre esta última e a normalidade, tanto mais quanto por vezes a mais previdente e calculadora sabedoria se disfarça em mania ("Nada e a nossa condição"), enquanto a loucura pode heroicamente adotar soluções de bom senso que a razão pusilânime não ousa levar em consideração ("A benfazeja") ou recorre a ardis de incrível sagacidade ("O cavalo que bebia cerveja"). Desmascarada e refreada quando irrompe num ímpeto ("Darandina"), a alienação é aceita como parte dolorosa da rotina da vida quando se declara paulatinamente ("A terceira margem do rio"). Ao contista suas variantes interessam não como casos clínicos (embora freqüentemente revele conhecimentos fora do comum, relacionados com seus antecedentes de médico), e sim como campo propício à invasão do irreal, do irracional, do mágico — numa palavra, da poesia. E, na medida em que permanece acessível a esses poderes, o homem "normal" tem seus instantes de exaltação. Assim, quando Sorôco, após despachar a mãe e a filha loucas, retoma por sua vez a desatinada canção trauteada por elas, a multidão circundante imita-o sem querer. E o velho Iô João de Barros Diniz Robertes, "encostado, em maluca velhice" e "aprazado de moribundo", quando sai da modorra senil para uma última e quixotesca cavalgada, arrasta atrás de si uma multidão magnetizada. "Ninguém é doido. Ou, então, todos." A loucura enche os vazios da vida, solta fogos de artifício, escancara os horizontes.

Ao lado dos doidos, as crianças formam grupo menor, mas importante, "estrelando" cinco estórias. Elas "fazem parte de uma curiosa estirpe de personagens, preludiada por Miguilim e Dito, de 'Campo Geral', e à qual pertencem infantes de extrema perspicácia e aguda sensibilidade, muitas vezes dotados de poderes extraordinários, quando não possuem origem oculta ou vaga identidade" (Benedito Nunes). Ou ainda tropecem nos pedregulhos da palavra ou já se deslumbrem com a sua cintilação, embrenham-se com olhos virgens nos mistérios do mundo e voltam com excitantes descobertas. Nos contos inicial e final realiza-se a *gageure* de fazer desfilar pela sensibilidade de um menino, com o pensamentozinho "ainda na fase hieroglífica", os grandes problemas existenciais do bem e do mal, e, através da sua decifração, é transmitida uma mensagem de otimismo e de fé. Alhures, Nhinhinha, crescida no isolamento da roça, é, por isso, isenta da visão convencional dos fenômenos, vislumbra-lhes os segredos em acenos que, para a testemunha culta, são manifestações elementares de lirismo, e, para os parentes simplórios, emanações de santidade. Brejeirinha, seu oposto na vivacidade da inteligência, mas sua parenta no frescor da imaginação associativa, encontra tanto divertimento nas palavras como nos objetos, utilizando umas e outros como brinquedos. (Poder-se-iam ver nas duas meninas as encarnações da poesia popular e da erudita.)

Pela evocação de vivências análogas às de todos nós, assistimos com curiosidade total à aventura dos meninos atores de "Pirlimpsiquice", exemplo de virtuosismo em seu ritmo arrebatado, estudo de psicologia juvenil, mas também relato de um desses milagres do cotidiano que são o domínio específico do autor. A embriaguez desses colegiais entregues à elaboração de uma "sobrepeça" à margem da peça que ensaiam é extraordinária, e contudo tão plausível quanto à experiência do Menino que, transportado para a grande cidade que se ergue do chão num lance de mágica, teima em ver o milagre em dois perus e num tucano.

Enfoque e perspectiva

O crítico Dante Moreira Leite assinalou, em *Grande sertão: veredas*, a transcendência do *modus narrandi* adotado: relatório feito pelo protagonista a um estranho que se limita a ouvi-lo como o psicanalista ouve as confidências do paciente. "O romance somente adquire sentido diante do interlocutor quase silencioso que não interfere nas interpretações e nem na fabulação de Riobaldo." Analisando noutro estudo a novela "Campo geral", do nosso autor, escrita na terceira pessoa convencional da ficção, mas que apreende apenas a experiência do menino Miguilim, ressalta Dante Moreira Leite que o recurso era necessário, "pois a história não poderia ser narrada pelo herói a não ser como evocação, e isso (...) destruiria o seu núcleo fundamental, que é a perspectiva da criança".

Teve toda razão o ensaísta ao apontar nessas duas obras a importância intrínseca do que poderíamos chamar o enfoque da história; a observação pode ser generalizada em relação a todas as obras de Guimarães Rosa, pois em todas elas o ponto de vista do narrador constitui elemento essencial, mais de uma vez verdadeiro fio de Ariadne.

Às *Primeiras estórias*, especialmente, a constante variação da perspectiva confere descomunal riqueza de cambiantes, muitas vezes um elemento suplementar de mistério. Algumas, segundo toda a evidência, têm raízes em experiências pessoais do autor e envolvem sua participação direta, ainda que não muito intensa. O máximo de sua presença ativa note-se em "Pirlimpsiquice": ainda assim, ele funciona menos a título individual do que como parte de uma coletividade. Noutros casos desempenha o papel de figurante passivo ("Famigerado"), presenciador inconsciente ("Nenhum, nenhuma"), testemunha e comentador ("Fatalidade", "A menina de lá"), evocador e exegeta.

À primeira pessoa da narração pode corresponder o eu — não do autor, e sim de um relator nominalmente designado cuja personalidade se vai delineando paralelamente ao desenrolar-se da ação ("Luas-de-mel", "O cavalo que bebia cerveja", "— Tarantão, meu patrão"), ou a pessoas sem nome mas possuidoras de personalidade, como o narrador de "O espelho", em quem vamos identificando um desses solitários autodidatas da província que se emaranham nos fios de suas infindáveis especulações, ou o de "A terceira margem do rio", que se vem contagiando com a demência do pai. Dos outros eus, o de "Darandina" tem seus pontos de contato com o autor, de quem partilha (e exagera) as fantasias verbais e o pendor filosofante; o de "A benfazeja", revelador dos sentimentos inconfessados de uma comunidade, parece mais uma personificação do que uma pessoa.

Nas estórias contadas em terceira pessoa observam-se também divergências no grau de participação do invisível narrador. Se a sua parte, em "Seqüência" ou em "Substância", se reduz à onipresença e à onisciência convencionais do ficcionista, em "Sorôco, sua mãe, sua filha" e "Os irmãos Dagobé" diz respeito antes a um membro não individualizado da multidão a testemunhar os fatos contados. Em "Partida do audaz navegante", a subjacente simpatia do autor acusa reminiscências de infância. Em "As margens da alegria" e "Os cimos", que se apartam do resto do volume em estrutura e propósitos, o autor existe para decifrar os pensamentos hieroglíficos do Menino.

Essa série de substituições, procurações e disfarces, esse brincar de esconde-esconde não serve só de provocação e estímulo: habitua o leitor a dar a volta da história e a repensá-la. Qual não seria o caso de Nhinhinha narrado não pelo autor, compassivo mas ainda assim distante, e sim por Tiantônia? ou o do remador que embarca para nenhures, se glosado não por quem lhe sofre o desvario na própria carne, mas por um espectador chistoso como o de "Darandina"? Afinal, o próprio relato metamorfoseia-se em ação e enredo: haja vista a ambivalência e a evolução dos sentimentos do capanga Reivalino em relação ao patrão. Tem-se aí outra história à margem da primeira, de mistério não menos profundo que o do cavalo bebedor de cerveja.

Estrutura

Sabe o nosso autor, como poucos, graduar a emoção, criar *suspenses*, produzir a expectativa de catástrofes. Essa expectativa, porém, freqüentemente não é satisfeita: as estórias acabam sem explosão, os conflitos esvaziam-se em resignação ou apaziguamento — e, contudo, o leitor não se sente frustrado. Em "Famigerado", "Os irmãos Dagobé", "O cavalo que bebia cerveja", "Luas-de-mel", "Darandina", "— Tarantão, meu patrão", o conflito esperado deixa de se cumprir, o desfecho realiza-se no íntimo das personagens. Nesse corajoso — e convincente — emprego do anticlímax deve-se ver prova decisiva de mestria na arte de tramar histórias.

Outro motivo de beleza estrutural será o desenvolvimento paralelo de dois enredos que se completam e explicam, sendo que o secundário só se entrevê intervaladamente. Em "Luas-de-mel", a chegada de uma moça raptada e o casamento realizado às pressas sob a ameaça de um ataque armado reacendem a sopitada ternura conjugal no velho fazendeiro que acolheu os fugitivos; em "Partida do audaz navegante", a burlesca brincadeira inventada por uma criança desencadeia em duas outras uma incipiente paixão juvenil.

Armar um mistério no começo da narrativa para no fim satisfazer, por meio de uma explicação minuciosa, as exigências de um leitor raciocinante, é processo que Guimarães Rosa só excepcionalmente adota. Prefere esconder a explicação no título ou entre dois parênteses, sugeri-la em termos velados, fornecê-la por partes, antecipá-la do modo mais insólito. Gosta ainda de insinuar apenas uma das explanações possíveis, admitindo a plausibilidade de outras. Em qualquer destes casos, o leitor é forçado a abandonar a sua inércia, tornando-se colaborador.

Se quiséssemos representar a ação de cada conto por uma linha, obteríamos riscos bem variados, desde a reta simples até a parábola e a espiral. Em relação à primeira composição do volume, por exemplo, ela daria uma curva ondulante de acordo com as oscilações do pensamento do Menino. Quando, pela primeira vez, a intuição da intensidade do existir o leva a um auge, dá-se uma queda brusca, pela revelação da morte individual; vislumbrada uma possível compensação da vida da espécie, ei-lo em nova ascensão. Mas só por pouco tempo esse avatar lhe parece um remédio ao caos, pois outro mistério, revelado no ódio do bicho vivo ao morto, remergulha-o no abismo. Encadeados, os enigmas sucedem-se, e essa percepção aterra e consola sucessivamente.

Nem só essa história se prolonga pelo plano metafísico. Quase todas são pluridimensionais, carregadas de significado oculto. Todos os rios do mundo de Guimarães Rosa têm três margens.

Os temas da arte são fragmentos de vida, esses aspectos superficiais da realidade que os nossos sentidos percebem. Mas "em volta de nós, o que há, é a sombra mais fechada — coisas gerais".

O universo é, ao mesmo tempo, ordenado e caótico. Sua ordem, inacessível à nossa percepção, pauta nossas existências, preestabelecidas, imutáveis. Precisados de segurança, ansiamos por alguma orientação e alguns pontos de apoio, e pelejamos "para impor ao latejante mundo um pouco de rotina e lógica". Nesse esforço inventamos as três faces do tempo: ora, a nossa duração é indivisível e cada um dos instantes sucessivos que rotulamos de presente contém todo o passado e todo o futuro. Ignorando-o, agitamo-nos e procuramos reverter o tempo, livrar-nos do passado ou desviar o futuro, trocar de destino, iludir-nos com a idéia de optar, quando apenas estamos trilhando a senda dos "futuros antanhos". Fazendo planos, tomando decisões, organizando a nossa vida, não notamos que "algo ou alguém de tudo faz frincha para rir-se da gente...". A unidade e o sentido dessa vida ficam-nos ocultos, pois o seu desenho só se completa pela morte, também preexistente.

Visão artisticamente fecunda, mas de profunda tragicidade, essa concepção do mundo é suavizada pela importância que nela cabe ao amor, um amor carnal "que gera o espiritual e nele se transforma" (Benedito Nunes). Este é que nos traz os momentos de exaltação e sublimação em que damos conta exatamente do nosso recado e melhor nos igualamos ao rosto ideal que vivemos a buscar no espelho.

O choque estilístico

O leitor brasileiro que porventura entrar em contato com a arte de Guimarães Rosa através de *Primeiras estórias* inevitavelmente haverá de experimentar um choque, devido à agressiva novidade do estilo, à qual os leitores antigos do autor se vêm habituando progressivamente. (Falamos no leitor brasileiro, porque o estrangeiro, que a conhecer através de tradução, terá forçosamente sob os olhos um texto atenuado e filtrado, adaptado pelo tradutor aos padrões existentes da língua acolhedora.)

Lembre-se que o autor fez sua aparição na literatura como escritor regionalista. Não adotara, porém, nenhuma das três técnicas à disposição do regionalismo: servir-se da linguagem regional indistintamente em todo o livro, restringi-la à fala das personagens, ou substituí-la integralmente por uma linguagem literária, convencional. A quarta solução, adotada por ele, consistia em deixar as formas, rodeios e processos da língua popular infiltrarem o estilo expositivo e as da língua elaborada embeberem a linguagem dos figurantes. Disse língua *elaborada* e não *culta*: Guimarães Rosa, conhecedor dos mais profundos do idioma, não se satisfaz em explorar-lhe todo o tesouro registrado e codificado, mas submete-o a uma experimentação incessante, para testar-lhe a flexibilidade e a expressividade. Daí um estilo personalíssimo, que das obras de caráter regionalístico se alastrou por toda a obra de ficção do nosso autor, e até por suas raras produções ensaísticas.

Fez, em suma, Guimarães Rosa, em relação à linguagem, o que todos os ficcionistas fazem da realidade, sua matéria-prima: desagregam-na e reconstituem-na a seu bel-prazer, tratando as suas parcelas como elementos de mosaico; com pedaços e traços de pessoas vivas constroem as suas personagens; fundindo cenas e acontecimentos registrados pela própria memória, deles tiram episódios e enredos. Com clarividência notável, Antonio Candido define o mundo de Guimarães Rosa como um universo autônomo "composto de realidades expressionais e humanas que se articulam com harmonia, superando por milagre o poderoso lastro de realidade tenazmente observada, que é a sua plataforma".

Entre os motivos dessa experimentação, do contínuo alargar do registro da língua, figura, sem dúvida, o propósito de amoldá-la para exprimir matizes e modalidades até então não observados da realidade que aguardam denominação para penetrarem na consciência comum. "O poeta se distingue como um aparelho altamente discriminante da infinita multiplicidade de aspectos do ser" (Oswaldino Marques). Mas o motivo principal, mais de uma vez declarado pelo próprio ficcionista, consiste em dar "toque e timbre novos às expressões amortecidas". Como pertinentemente observa Cavalcanti Proença, o nosso escritor outra coisa não faz "senão apelar para a consciência etimológica do leitor, neologizando vocábulos, reavivando-lhes o significado (obliterado ou por demais esquecido pelo uso corrente), dando-lhes uma precisão que esse mesmo uso acabou por destruir. Uma espécie daquele silêncio que desperta os moleiros quando cessa o rolar do moinho."

Nas considerações seguintes, tenta-se não a catalogação dos recursos estilísticos manejados no presente volume (e que daria outro volume), e sim, apenas, a indicação exemplificada das tendências a que correspondem. Não se ignora o risco deste trabalho: os espécimes montados em alfinete com fins de coleção, rígidos e murchos, podem parecer meras esquisitices e até monstruosidades, por mais que vicejem e resplandeçam no contexto do seu ambiente natural, vitalizando-o e animando-o.

Oralidade

Ao autor da presente introdução falta convivência com o povo do interior brasileiro e, especialmente, da região que serve de cenário à maioria dessas estórias para que possa tentar uma distinção da contribuição popular *lato sensu* e da nitidamente regional; por isso adota o termo acima, que lhe parece determinar com bastante exatidão uma das principais coordenadas da linguagem rosiana.

Suas páginas porejam modismos e fórmulas que estamos habituados a ouvir na boca de pessoas do povo e que, em seu frusto vigor, dão à fala popular sabor e energia deliciosos: "Nosso pai nada não dizia."; "Do que eu mesmo me alembro"; "Nossa casa, no tempo, era mais próxima do rio, obra de nem quarto de légua"; "perto e longe da sua família dele"; "avisado que nem Noé"; "A gente, firmes, sem mover o passo".

Os exemplos poderiam ser multiplicados. É precisamente o formigar de tais rodeios que dá a leitores menos avisados a idéia de que o autor se propõe a mera reprodução da linguagem popular. Com essa idéia metida na cabeça, logo vão implicar com o primeiro neologismo e apontar em triunfo aquele "destom" como exemplo de insucesso.

É desconhecer a própria essência dessa arte tão provocadoramente original. A predileção do autor por fórmulas populares de uso geral não o impede de se deleitar com insólitas locuções individuais nem de inventar outras que, golpeando em cheio o leitor, lhe possam inculcar uma percepção nova.

Tem toda a aparência popular e regional o uso do artigo definido à frente dos adjetivos indefinidos, adotado pelo autor — como as demais práticas de estilo oral — mesmo em trechos em que ele fala por conta própria: "As muitas pessoas"; "o parente nenhum"; "a alguma alegria"; "o certo solerte contentamento"; "a alguma recomendação"; "pelas certas pessoas"; "a tanta importância"; "as todas manhãs"; "a muita criatura". Essa praxe paradoxal, oriunda talvez do desejo de aumentar a massa sonora e o peso da locução, nota-se também no caso de expressões onde normalmente a indefinição se patenteia pela ausência de determinantes: "iam dar na gente a tremenda vaia!"; "O gebo, pernas tresentortadas e moles, quase de não andar direito, mas o capaz de deslizar ligeiro".

O leitor citadino, especialmente carioca, encontrará o mesmo sabor regional no uso do subjuntivo com valor de condicional — "Nem olhasse mais a paisagem?"; "nem fosse possível"; "constava que nosso pai, alguma vez, tivesse revelado a explicação" — ou de indicativo, com matiz dubitativo: "só ele conhecesse, a palmos, a escuridão daquele [brejão]"; "Por certo esse Herculinão Socó desmerecesse a mínima simpatia humana"; "e tão apartado em si se conduzia ele (...) que jamais quase a referisse pelo nome".

Observando a fala de pessoas de poucas letras, ou de todo não alfabetizadas, podemos notar quão freqüentemente elas deixam a frase inacabada, como que suspensa, completando o sentido com o silêncio da pausa. Em Guimarães Rosa, o vezo, de tão freqüente, ganha foros de categoria sintática: "queriam-lhe como quem"; "No que num engano."; "Sabiam o até-que-ponto"; "Aquilo era quando as onças."; "O que foi quando subitamente"; "Brejeirinha de alegria ante todas, feliz como se, se, se; menina só ave."; "Esse moço, pois, para ele sendo igual matéria o futuro que o passado?". Dentro do contexto, todas essas frases — e muitas semelhantes — palpitam com o frescor da emoção. Um jovem crítico, Roberto Schwarz, em sua percuciente análise da linguagem de Guimarães Rosa, chega a ver em tais sentenças inacabadas a chave de toda a expressão do autor: "Podemos afirmar mesmo, dado encontrarmos frases irredutíveis ao esquema comum, serem estas as que devem orientar o nosso modo de ler, por realizarem mais radicalmente a dicção do livro. Através de umas tantas orações sem fio gramatical definível, fica instaurado um universo lingüístico em que mesmo as proposições de lógica perfeita passam a pedir uma leitura diversa (...)." Especialmente o verbo de cópula ganha força em ser omitido quando substituído por interrupção do fluxo sonoro: "Se homens, meninos, cavalos e bois — assim insetos?"; "O estilo espavorido."; "Atordoados, pois."; "A gente, nada. Ali, formados, soldados mesmos, mudando de cor, de amargor."; "O pasmatório." E, em nível literário: "Tia Liduína, que já fina música e imagem."

Caracteriza ainda o modo de falar das pessoas simples certo rebuscamento, a adoção de formas da linguagem escrita consideradas elegantes e não inteiramente assimiladas. É o que explica o aparecimento do gerúndio em orações relativas que depois o sujeito falante não sabe como acabar: "Seo Fifino (...) noticiou: que tendo chegado certo sujeito, um positivo, com carta."; "Seus sabedores informavam: que a marca sendo de grande fazendeiro." O particípio passado pode também assumir esse efeito desorganizador do gerúndio: "Vim ver quem. Aquele homem que chegado."; "acomodar os hóspedes, que esperados". Por expressivo, o modismo é adotado pelo próprio narrador: "Dava para se sentir o peso da [arma] de fogo, no cinturão, que usado baixo".

Efeitos enérgicos são tirados de outras irregularidades sintáticas, igualmente característicos do estilo oral: da regência imprópria ("E prometia-lhe o Tio as muitas coisas que ia brincar e ver, e fazer e passear"); da concordância pelo sentido ("e a gente fica quase presos, alojados na cozinha") e deste anacoluto expressivo que abre a undécima estória: "O espelho, são muitos".

Sonoridade

Essas citações devem ter feito entrever uma das qualidades paradoxais do estilo de Guimarães Rosa: suas páginas exigem leitura atenta e meditada, e, ao mesmo tempo, podem ser lidas em voz alta ou, pelo menos, com a colaboração ininterrupta da imaginação auditiva. Só assim poderão ser apreciados *in totum* e valorizados seus esforços originalíssimos de "transposição total para o plano auditivo de uma representação puramente visual" (Oswaldino Marques).

Há frases do nosso autor, precisamente das mais carregadas de significação, que exigem notação musical: "Infância é coisa, coisa?"; "Porque eu desconheci meus Pais — eram-me tão estranhos; jamais poderia verdadeiramente conhecê-los, eu; eu?"

A aliteração serve-lhe de subsídio pitoresco ou acompanhamento musical, marcadora de ritmo ou de monotonia, sinal de gravidade ou de graça: "Miúdo, moído."; "aquele doer, que põe e punge, de dó, desgosto e desengano"; "leigos, ledos, lépidos"; "Desconto (...) o em que me tive na mocidade: desmandos, desordens e despraças."; "Podia também ser de outra essência — a mandada, manchada, malfadada."; "conforme confere e confirmava". Em suas acrobacias verbais ressurgem as figuras da velha retórica: a homofonia: "ferramos fera briga"; o homoteleuto: "não conseguindo juntar o prestígio ao fastígio"; o poliptoto: "Ao que sei, que se saiba, ninguém soube sozinho direito o que houve."; a *figura etymologica:* "as figurantes figuras, mas personagens personificantes".

A rima sentenciosa é um adjutório caracterizador (em "Luas-de-mel"): "Eu ponho a mesa e pago a despesa."; "cachorro, gato e espalhafato"; "Só em paz, com Deus, sossegado. Sensato, sincero e honrado."; "Herói é no que dói!".

Usa com o mesmo intento, ou como simples *intermezzo* lúdico, palavras pomposas e grandiloqüentes, que ganham graça pelo emprego pernóstico: "Só vivo no supracitado."; "os Noivos (...) satisfatórios"; "aquele senhor (...) provisoriamente impoluto". Há muitos outros exemplos, sobretudo ao longo de "Partida do audaz navegante", onde o autor confirma implicitamente a ampla contribuição da linguagem infantil para seus processos de inovação mais ousados.

Com patente alegria sensual ele deixa arrebentar-se pelo batucar das onomatopéias: "Aí, o povaréu fez vêvêvê"; "o *a-tchim-pum-pum* dos foguetes"; "trupitar" de cavalos; "catastrapes!"; "chiquetichique", todos exemplos encontráveis em "— Tarantão, meu patrão", onde a reprodução imitativa começa no próprio título.

O prolongamento das palavras por meio de sufixos altissonantes — *furibundância, circunspectância, esplendição, blasfemífero, ardilidade* — ou pela ousada repetição de sílabas — *sussussurrar, mumumudos, nesse interintintim* — é praticado com intuito de intensificação semântica.

Assinale-se mais uma fonte de sonoridades sugestivas e classificadoras: os expressivos nomes próprios com que Guimarães Rosa gosta de brindar-nos, enfileirando-os às vezes em saborosas enumerações rabelaisianas. Nenhum outro autor nosso armazena tantos apelidos, alcunhas, epítetos, corruptelas de nomes e sobrenomes pitorescos e pedantes. Só em *Primeiras estórias* encontramos os quatro irmãos Dagobé: Damastor, Doricão, Dismundo e Derval, além de Tãozão, Mão-na-Lata e Zé Centeralfe. E ainda, a sinistra tríade formada pela Mula-Marmela, Mumbungo e Retrupé; e Nhinhinha e a Nhatiaga; e Vagalume, de seu verdadeiro nome (!) João Dosmeuspés Felizardo: e Curucutu, Cheira-Céu, Jiló, Pé-de-Moleque, Barriga-Cheia, Corta-Pau, Rapa-pé, o Gorro-Pintado... todo um catálogo bem brasileiro de extravagância denominativa.

Dinamização

Além desses aspectos pitorescos, convém destacar na linguagem de Guimarães Rosa o fator dinâmico ao serviço da representação do que ele chamou o "corrido, contínuo, do incessar". É um constante rebatizar de fenômenos já denominados, um contínuo buscar de nomes para formas que inesperadamente emergem do caos existencial; e também, às vezes, a criação de uma realidade nova que surge pelo poder da evocação verbal.

Os processos dessa renovação não são, não podem ser puramente arbitrários, senão prejudicariam a comunicabilidade da mensagem. Na maioria dos casos são tomados de empréstimo à própria língua, e consistem na imitação e na intensificação de seus recursos evolutivos. Às vezes parecem sugeridos pelo espírito de outros idiomas. Vez por outra são produtos de uma invenção divertida, arbitrária e lúdica.

Naturalmente, nem todos os termos não dicionarizados de *Primeiras estórias* podem ser considerados como neologismos de fato. É praticamente impossível separar os vocábulos ainda não registrados da linguagem familiar ou regional e os que existem na língua em estado latente. São desse grupo, resultante de derivação regular, substantivos como *terrestreidade* ou *cascalharal*, adjetivos como *multitudinal* e *gravitacional*, verbos como *trevar*, *andorinhar* e *bruaar*. Outro grupo de plausibilidade semelhante é formado por palavras compostas de acordo com os moldes tradicionais: *abretragos* e *borrafofo*, *gritamulta* e *ultramuito*.

É impossível não notar um terceiro grupo, muito numeroso, constituído por derivados paralelos aos já existentes surgidos pela substituição do elemento derivador: *perversia*, *simulagem*, *confusamento*, *estupefazimento* e *estupefatura*, *casamentício* e *casação*, *velhez*, *ceguez* e *mesmez*, outros tantos *doublets* de feição geralmente popular que nem sempre se distinguem das formas banais por uma nova matização intelectual. "Haverá de causar espécie" — observa oportunamente Oswaldino Marques — "que, muitas vezes, o autor recorra a neologismos quando já conta a língua com palavras de uso corrente que expressem o mesmo conteúdo (...). Sua função primordial (...) é descondicionar os nossos hábitos verbais e levar-nos a reexperimentar as idéias ou sensações veiculadas. A comoção que nos agita arranca-nos, por assim dizer, à nossa letargia mental e nos obriga a repensar os objetos. A linguagem opera, desse modo, a contínua reativação das nossas vivências e nos abastece de conotaçãos insuspeitas."

Observemos que, desse ponto de vista, o mesmo sufixo pode exercer efeitos diferentes. Note-se a crescente intensidade do choque em *sertanejice*, *aguaceirice* e *frutice*.

Contribui para a tremulação ondeante do estilo o fato de certos sufixos aparecerem não somente em aliagens insólitas, mas também com carga semântica diversa. Nota-se isto em particular nos adjetivos formados com *-oso* e com *-vel*, mesmo quando simplesmente enfileirados fora de contexto: *viuvoso*, *controversioso*, *sonhoso*, *tigroso*, *sobrossoso*, *artimanhoso*, *desadoroso*, *grossoso*, *terrivoroso*; *encantoável*, *assombrável*, *enlameável*, *cravável*, *comiserável*, *deslumbrável* — nos quais o exame atento descobrirá alternadamente valor ativo ou passivo, nuança quantitativa ou qualitativa. O sufixo *-ista*, de conotação erudita, passa a nitidamente popular em *poetista* e *namorista*; o sufixo *-az*, petrificado, desenregela-se em *zombaz* e *sanguinaz*.

De fixidez bem maior que os sufixos de derivação, os prevérbios, imobilizados desde a época latina, voltam a ganhar na mão de Guimarães Rosa extraordinária vitalidade. Ao restituir poder denotativo ou intensificador a prevérbios esvaziados de sentido, o escritor, profundo conhecedor de várias línguas, parece ter-se deixado influenciar por idiomas como o alemão ou o russo, em que essas partículas até hoje conservaram vigorosa atuação. Os exemplos pululam: *trasviver*, *trasmodo*, *trasvôo*, *transclaro* e *travisagem*; *tresentortado*, *tresbusco*, *tresenorme*, *tresbulício* e *tresincondigno*; *contristes*, *compesar* e *congracez*; *sobrecrente* e *sobreabrir-se*; *circuntristeza*, *contra-surpresa*, *obcego* e *perluzir*. Juntamente com a tendência de antepor essas partículas a verbos, derivados verbais, ou mesmo a palavra de outras espécies, patenteia-se a de multiplicá-las. Tal tendência é característica do idioma húngaro cuja estrutura Guimarães Rosa conhece intimamente segundo se depreende de "Pequena palavra" com que prefaciou a minha *Antologia do conto húngaro*. Luiz Costa Lima Filho aponta com acerto o que esse prefácio tem de revelador; à sua leitura nota-se "o quanto de hungárico ele conscientemente incorporou à nossa língua literária". Alguns exemplos: *altiloquar* e *altitonar*, *cabismeditado* e *cabisbaixar-se*, *bisver*, *vis-ver* e *vice-ver*.

O maior número de incidências, como na língua comum, dá-se com os prefixos *des-* e *in-* em função criadora de antônimos. Eis alguns dos muitos exemplos que parecem inventados (ou apanhados pela primeira vez) pelo nosso autor: *desacontecido*, *desaproximar-se*, *desconcernência*, *descarecer*, *desvárias* (vezes), *dessonambulizar*, *despreferência*, *desentregar-se*, *desesconder-se*, *desnascer* e, até, *desdeslembrar-se*; *inconfuso*, *inesperavam-se*, *impermanência*, *inquebrantar-se*, *inenganador*, *insabível*, *intrágico*, *inestimar*, *irreconhecer*, *increr*, *incomunhão*, *indecifrar*, *impoder*, *inconvir*, *inacional*. Se o sentido de alguns é bastante claro, parece que outros são originados menos por uma visão concreta do que por indução do termo positivo, oposto. É nestes casos que, segundo a afirmação exultante de Vilem Flusser, "a língua portuguesa cria conscientemente, se quiserem cerebralmente e metodicamente, a realidade nova". O escritor criou o conceito novo, e "os biólogos e os psicólogos virão, em seu tempo, para inseri-lo dentro da sua realidade".

Para quem percebe o mundo sob as espécies de luz e sombra, afirmação e negação, o método mais óbvio da criação conceptual de novas realidades é mesmo a invenção de contrastes. A sua inventariação permitiria uma compreensão mais profunda, não somente do estilo, mas da cosmovisão de Guimarães Rosa. Aqui fica, a título de sugestão, uma relação rápida de expressões e frases em que o advérbio *não* surge com valor tipicamente adversativo: "em não-tais condições"; "sua não rapidez"; "Eles se olhavam para não-distância"; "Satisfazer-me com fantásticas não-explicações?"; "desaparecesse no não"; "Olhava na direção do não."; "Acontecia o não-fato, o não-tempo"; "tão bom como tão não". Acrescentem-se dois trechos, particularmente significativos, do conto "A benfazeja", todo ele construído em dicotomias: "Talvez pressentisse que só ela seria capaz de destruí-lo, de cortar, com um ato de 'não', sua existência doidamente celerada."; "E ela, então, não riu. Vocês, os que não a ouviram não rir, nem suportam de lembrar direito do delirido daquela risada."

Insensivelmente chegamos de uma linguagem predominantemente oral, de forte sabor popular, a outra, de alto teor filosófico. Só que as duas são uma só, inseparável e orgânica, apesar de toda a sua heterogeneidade.

A dissociação das parcelas semânticas observa-se não apenas em vocábulos, mas ainda nessas outras unidades léxicas que são as locuções. Palavras que estamos habituados a ouvir unicamente integradas em frases feitas voltam a agir por sua conta ou a emprestar mobilidade à expressão estereotipada: "com cara de nenhum amigo"; "Transfoi-se-me. Esses trizes"; "espiei os três outros, em seus cavalos, intugidos até então"; "Capazes de qualquer supetão"; "me diz-que-disseram"; "E se humilhara, a menos não poder."; "o outro, no tir-te, se encolheu"; "E era o impasse de mágica."; "um deu-nos-sacuda".

Nos dois últimos exemplos, o processo confina com o trocadilho, recurso algo desconsiderado. Mas Guimarães Rosa não desdenha nenhum truque em sua luta com a expressão, verdadeiro *catch as catch can* em que todos os ardis são permitidos.

A derivação regressiva de substantivos, a que a língua freqüentemente recorre em deverbais como *apanha*, *derrama*, *derruba* etc., traz também contribuição para o léxico de nosso contista, em palavras como *apavor*, *reobriga*, *ensimesmo*.

Outro meio de enriquecer a expressão é impedir-lhe o empobrecimento. A ele recorre o autor de *Primeiras estórias* ao reativar o particípio presente, em via de desaparecimento, restituindo-lhe toda a força verbal: vejam-se *pleiteantes brados*, *a mais buscante análise*, e, ainda, *espantante*, *pontuante*, *querente*, *requiescante*, *apalpante*, *decretante*. Numa extensão de sentido contrário, alarga, ao mesmo tempo, o uso adjetivo do particípio passado: "a cada podido momento"; "olhos empalidecidamente azuis"; "entregadamente"; "alongada, sorrida, moduladamente".

O reagrupamento de semantemas estende-se, naturalmente, a toda a organização sintática, aproveitando os efeitos estilísticos que oferece a modificação da ordem costumeira das palavras. A mais óbvia dessas modificações é o destaque do adjetivo por meio de antecipação: "Seus muitos, sequazes homens"; "na prática verdade"; "pela indiferente rua"; "insuspeitado estilo".

Outras inversões que, em Retórica, seriam qualificadas de hipérbatos e de sínqueses: "e com quantos sem uso corredores"; "Só este é o seu, deles, diálogo"; "tudo apesar-de"; "o multitudinal silêncio — das pessoas de milhares"; "Se lhe de deveres e afetos falei!"; "o das-Finanças-Públicas secretário". Note-se que os quatro últimos exemplos são extraídos de "Darandina", onde neologismos, trocadilhos, onomatopéias e inversões estão a serviço de uma esfuziante comicidade — o que lembra que os processos estilísticos do autor não devem ser avaliados fora do clima de intencionalidade que lhes cabe no contexto.

Deixei para o fim um exemplo agressivo de tmese (que evoca a separabilidade do prevérbio alemão e húngaro): "E entrou — de peito feito. Àquelas qüilas águas trans", para marcar o limite extremo da atomização estilística.

Não é de espantar que os sinais de pontuação tenham também o seu emprego alargado. Além do famoso exemplo constante do título de *Grande sertão: veredas*, os dois-pontos neste livro também transcrevem pausas sugestivas:

"Sentava-se, inteiro, dentro do macio rumor do avião: o bom brinquedo trabalhoso."; "A grande cidade apenas começava a fazer-se, num semi-ermo, no chapadão: a mágica monotonia, os diluídos ares."; "Não viu: imediatamente."; "Antes do rio não viam: as aves que já ninhavam."

Como é mesmo que dizia Riobaldo? "Mire veja: o mais importante e bonito, do mundo, é isto: que as pessoas não estão sempre iguais, ainda não foram terminadas — mas que elas vão sempre mudando." Tal como a linguagem.

O ARBÍTRIO CRIADOR

"Muita religião, seu moço!" — dizia ainda Riobaldo. — "Eu cá, não perco ocasião de religião. Aproveito de todas. Bebo agora de todo rio..."

Ponha-se "língua" em lugar de religião, e aí temos uma definição estilística da obra de Guimarães Rosa. Nela estará acenada a hibridez de um sistema expressivo cujos elementos provêm de origens as mais variadas, em que termos de gíria ("o meu esmarte Patrão", "Moço esporte de forte") e latinismos ("assim vocado e ordenado"; "as infernas grotas"; "O padre Prefeito, solene modo, fez-nos a comunicação") se misturam aos rodeios de acentuado sabor popular e a preciosismos rebuscados.

Ao relacionar os componentes desse estilo, em seu estudo nunca assaz citado, Manuel Cavalcanti Proença afirma que, contudo, ele não constitui uma nova língua: "O que ocorreu foi ampla utilização das virtualidades da nossa língua, tendo a analogia, principalmente, fornecido os recursos de que ele [= o autor] se serviu." E para neles basear a analogia, Oswaldino Marques, em seu estudo igualmente fundamental, cita em apoio das inovações mais ousadas outros tantos "parâmetros", termos vernáculos tomados ao acaso.

Deve-se admitir, porém, a existência de praxes não apoiadas em analogias. Estão neste caso as amálgamas de dois vocábulos cuja fusão é provocada não por associação intelectual, mas pela coincidência sonora de uma sílaba. Duas palavras — *fúnebre* e *brilho* — fundem-se na parcela sonora comum em *funebrilho*, para designar uma noção (enfeite de caixão) até então não denominada com termo específico. Ou então *diligente* e *gentil* fundem-se para indicar a função momentânea de dois atributos em *diligentil*. Outros exemplos: *personagente* (já citado), *perséquito*, *sussurruído*, *delirido*, *tumultroada*, *engenhingonça*, *afobafo*, *malandrajo*, *excelentriste*, *dançandoar-se*, *descreviver*. De momento não me ocorre outro parâmetro a não ser *tranqüilômetro*, *tranqüilometragem*, pertencentes à pseudolíngua publicitária. Em tais casos a fantasia do autor substitui-se às tendências da língua entregando-se à criação arbitrária de neologismos com a mesma deleitação que inspira as bizarrices da linguagem infantil na boca de sua personagem Brejeirinha.

Nem sempre o significado dessas inovações é óbvio: mais de uma constitui enigma de decifração nada fácil, capaz de suscitar as interpretações mais desencontradas. Veja-se este exemplo, encontrado em "Nada e a nossa condição": "Ante e perante, à distância, em roda, mulheres se ajoelhavam, e homens que pulando gritavam, sebestos, diabruros". O leitor fica intrigado com o adjetivo não dicionarizado *sebesto*. Deverá ligá-lo a *sebesta* (nome de árvore) ou a *sebo* (especialmente das locuções: *metido a sebo*; *ora, sebo*!), tomá-lo por uma corruptela de *sebento* ou considerá-lo uma amálgama audaciosa de *sebo* + *besta* ou de *se* (pronome) + *besta*? Todas essas conjeturas, embora desencorajadas pelo contexto, hão de se apresentar ao espírito do leitor mais prontamente do que o verdadeiro radical, pedido emprestado ao substantivo grego *sébas* ("temor religioso", "veneração") e ao correspondente verbo *sebo*.

Outro exemplo, constante da "Pequena palavra" já citada, mostra também como seria ilusório pretender a uma compreensão integral de uma página de Guimarães Rosa. Ao caracterizar o divertimento dos pastores húngaros diz que "se alargam nas tabernas rurais, onde o país canta e dansa suas csardas, que em ritmo alternam: a lentidão melancólica e lassa — e — o ferver tenso agilíssimo de alegria doidada que alucina com um inaudito frisson". À primeira leitura o trecho não oferece dificuldades: mas se matiza de engenhosa musicalidade aos olhos de quem notar (mas quem notará?) que o autor, num enlevo de virtuoso, encontrou jeito de encerrar nele os próprios termos que, em magiar, designam as duas variantes do *csárdás*: *lassu* ("lento") e *friss* ("rápido"). Não é difícil prever a perplexidade dos autores de teses de doutoramento sobre a linguagem de João Guimarães Rosa (teses que já começam a aparecer, dentro e fora do país) dando tratos à bola para desvendarem os mistérios adrede espalhados pelo autor ao longo de suas páginas, enquanto este, de longe, os observa com discreta malícia e aquelas suas risadinhas cordiais de esfinge bem-educada.

Embora com raízes na língua, que não desconhece palavras de polivalência funcional (como *longe*, advérbio, adjetivo e substantivo), nas páginas de Guimarães Rosa os vocábulos ganham elasticidade quase ilimitada. Não somente substantivos, adjetivos e advérbios, mas conjunções e interjeições trocam de categoria funcional com grande facilidade: "Mas a Moça estava devagar."; "a gente (...) pensava num logo luar"; "Desço em pulos passos"; "outroras coisas"; "o que fácil não fiz"; "os futuros antanhos"; "mal dava para se ver, no escurecendo"; "a de nunca naturalidade"; "Sou de nem palavras."; "Aquilo na noite do nosso teatrinho foi de Oh."; "Disse de não, conquanto os costumes" etc.

Assim como nas enálages supracitadas o advérbio se disfarça em adjetivo ou substantivo, toda e qualquer locução adverbial pode-se revestir de função nominal: "Noutro de-repente"; "do meu mais-longe"; "os às-nuvens pináculos dos montes"; "aquela a-pique difícil fazenda"; "no entre algumas flores"; "o em-diabo pretinho Alfeu", passando até a se flexionar: "em-diabas confusões"; "ela batia com a cabeça, nos docementes". Mais ainda, uma frase qualquer se transforma em epíteto ou substantivo: "um narizinho que-carícia"; "no se é o que é que é"; "o em que me tive".

Quer dizer que os materiais da língua estão em fusibilidade permanente, lavas que só criam forma ao derramar-se. Nem todos os produtos dessa criação vulcânica saem graciosos ou eufônicos: há os que irritam e provocam; mas o conjunto da erupção é um espetáculo que subjuga.

Por enquanto só se pode conjeturar a profundeza da revolução operada nas letras brasileiras por Guimarães Rosa. Quem assina esta introdução pôde, como árbitro de vários concursos de conto, observar a sedução exercida pelo seu estilo nos novos prosadores de todas as regiões do Brasil. Inimitável na intuição das correntes fundas do inentendível mundo íntimo, assim como na transferência de episódios locais para horizontes universais, sua obra, por enquanto, está agindo sobretudo pelo aspecto epidérmico. É de se esperar que nos talentos bastante fortes para se subtraírem ao perigo do arremedo servirá de estímulo para o desapego de todos os padrões tradicionais. Mas parece pouco provável que suas invenções e liberdades em sua totalidade venham a se enquadrar no *corpus* do idioma, precisamente porque seu poder está no vislumbre fugaz da instantaneidade.

"Evidentemente há coisas que só entenderá em *Grande sertão: veredas* o sertanejo, precisamente o menos provável de seus leitores" — pondera com espírito Adolfo Casais Monteiro. Estendendo a observação a *Primeiras estórias*, acrescentaria eu que há outras coisas que só o dialetologista, outras que só o filósofo, outras ainda que só o psicanalista entenderá — o que equivale a dizer que nenhum leitor entenderá a obra na íntegra. Tenho que esse entendimento nem sequer é visado pelo escritor. Trabalhando como o cineasta, sabe que os detalhes de seus flagrantes só parcialmente serão percebidos pelo público na rápida sucessão das imagens e nem por isso deixa de calcular e apurar os seus menores efeitos. Por menos que pegue dessa profusão barroca, o leitor médio ainda pegará bastante para ceder ao encantamento.

Dessa própria riqueza surge a possibilidade de se encontrarem intenções e subentendidos mesmo onde não os há, de surgirem interpretações de surpreender o único detentor de todas as chaves da obra, o próprio autor. Até agora não me consta que ele tenha posto em dúvida a validez de qualquer explanação, nem creio que venha a fazê-lo. Mas tampouco fornece as chaves a ninguém. "Rosa não entrega nem a pau o mapa da mina" — segundo uma expressão feliz de Afonso Arinos de Melo Franco. Solta pelo seu criador, a obra passa a ter a sua própria vida, que a este não é dado nem retificar nem influenciar. Tudo leva a crer que os livros de Guimarães Rosa suscitem mais tentativas de decifração que os de qualquer outro escritor brasileiro, e que estas os tornem ainda mais densos e mais cheios de significados.

Conta-me Guimarães Rosa que os compositores de tipografia, não entendendo uma de suas palavras ou frases, têm-nas modificado involuntariamente; e que, ao rever as provas, tem-lhe acontecido não emendar o erro por decorrer de uma compreensão aceitável dos antecedentes, e por se ajustar bem ao contexto.

O grande tradutor de *Grande sertão: veredas*, Meyer-Clason (que neste momento está transplantando para o alemão estas *Primeiras estórias*), resolvera a maior percentagem possível dos enigmas verbais que formam o tecido desse romance gigantesco. Enganou-se, porém, ao tomar "lagarta-de-fogo" (equivalente de *tatarana*, alcunha de Riobaldo) por "lagartixa de fogo" e ao traduzir esse misterioso nome de bicho por *Feuersalamander*. Foi assim agregada à variante alemã do livro uma conotação alquimística e medieval inexistente no original, mas que o autor, depois de estranhá-la no princípio, acabou por admitir como perfeitamente compatível com o destino da personagem, que ganhava assim uma nova dimensão.

Espero ter dado ao leitor, nestas considerações prévias demasiadamente difusas, uma idéia pelo menos da extensão do mundo em que se vai embrenhar, com o risco certo de perder-se mais de uma vez e com a recompensa não menos certa de se reencontrar seguidamente a si mesmo nos muitos atalhos de Guimarães Rosa.

Sítio Pois é (Nova Friburgo), fevereiro de 1966.

CANDIDO, Antonio. "O sertão e o mundo". In: *Diálogo*, nº 8, novembro de 1957.

FLUSSER, Vilem. "Da flauta de Pan". In: *O Estado de São Paulo*, 22 de fevereiro de 1964.

LEITE, Dante Moreira. "Grande sertão: veredas". In: *O amor romântico e outros temas*. São Paulo: Conselho Estadual de Cultura e Literatura, 1964.

__________. "Campo geral". In: *Psicologia e literatura*. São Paulo: Conselho Estadual de Cultura e Literatura, 1965.

LIMA FILHO, Luiz Costa. "A expressão orgânica de escritor moderno". In: *Diálogo*, nº 8, novembro de 1957.

LINS, Álvaro. "Sagas de Minas Gerais". In: *Os mortos de sobrecasaca*. Rio de Janeiro: Editora Civilização Brasileira, 1963.

MARQUES, Oswaldino. "Canto e plumagem das palavras". In: *A seta e o alvo*. Rio de Janeiro: Instituto Nacional do Livro, 1957.

MONTEIRO, Adolfo Casais. "Guimarães Rosa, uma revolução no romance brasileiro". In: *O romance. Teoria e crítica*. Rio de Janeiro: Livraria José Olympio Editora, 1964.

NUNES, Benedito. "O amor na obra de Guimarães Rosa". In: *Revista do Livro*, nº 26, setembro de 1964.

PROENÇA, Manuel Cavalcanti. *Trilhas no grande sertão*. Rio de Janeiro: Serviço de Documentação do Ministério da Educação e Cultura.

RÓNAI, Paulo. "A arte de contar em *Sagarana*". In: *Encontros com o Brasil*. Rio de Janeiro: Instituto Nacional do Livro, 1958.

__________. "Rondando os segredos de Guimarães Rosa". In: *Encontros com o Brasil*. Rio de Janeiro: Instituto Nacional do Livro, 1958.

__________. "Três motivos em *Grande sertão: veredas*". In: *Encontros com o Brasil*. Rio de Janeiro: Instituto Nacional do Livro, 1958.

SCHWARZ, Roberto. "*Grande sertão*: a fala". In: *A sereia e o desconfiado*. Rio de Janeiro: Editora Civilização Brasileira, 1965.

As margens da alegria

I

Esta é a estória. Ia um menino, com os Tios, passar dias no lugar onde se construía a grande cidade. Era uma viagem inventada no feliz; para ele, produzia-se em caso de sonho. Saíam ainda com o escuro, o ar fino de cheiros desconhecidos. A Mãe e o Pai vinham trazê-lo ao aeroporto. A Tia e o Tio tomavam conta dele, justinhamente. Sorria-se, saudava-se, todos se ouviam e falavam. O avião era da Companhia, especial, de quatro lugares. Respondiam-lhe a todas as perguntas, até o piloto conversou com ele. O vôo ia ser pouco mais de duas horas. O menino fremia no acorçôo, alegre de se rir para si, confortavelzinho, com um jeito de folha a cair. A vida podia às vezes raiar numa verdade extraordinária. Mesmo o afivelarem-lhe o cinto de segurança virava forte afago, de proteção, e logo novo senso de esperança: ao não-sabido, ao mais. Assim um crescer e desconter-se — certo como o ato de respirar — o de fugir para o espaço em branco. O Menino.

E as coisas vinham docemente de repente, seguindo harmonia prévia, benfazeja, em movimentos concordantes: as satisfações antes da consciência das necessidades. Davam-lhe balas, chicles, à escolha. Solícito de bem-humorado, o Tio ensinava-lhe como era reclinável o assento — bastando a gente premer manivela. Seu lugar era o da janelinha, para o móvel mundo. Entregavam-lhe revistas, de folhear, quantas quisesse, até um mapa, nele mostravam os pontos em que ora e ora se estava, por cima de onde. O Menino deixava-as, fartamente, sobre os joelhos, e espiava: as nuvens de amontoada amabilidade, o azul de só ar, aquela claridade à larga, o chão plano em visão cartográfica, repartido de roças e campos, o verde que se ia a amarelos e vermelhos e a pardo e a verde; e, além, baixa, a montanha. Se homens, meninos, cavalos e bois — assim insetos? Voavam supremamente. O Menino, agora, vivia; sua alegria despedindo todos os raios. Sentava-se, inteiro, dentro do macio rumor do avião: o bom brinquedo trabalhoso. Ainda nem notara que, de fato, teria vontade de comer, quando a Tia já lhe oferecia sanduíches. E prometia-lhe o Tio as muitas coisas que ia brincar e ver, e fazer e passear, tanto que chegassem. O Menino tinha tudo de uma vez, e nada, ante a mente. A luz e a longa-longa-longa nuvem. Chegavam.

II

Enquanto mal vacilava a manhã. A grande cidade apenas começava a fazer-se, num semi-ermo, no chapadão: a mágica monotonia, os diluídos ares. O campo de pouso ficava a curta distância da casa — de madeira, sobre estacões, quase penetrando na mata. O Menino via, vislumbrava. Respirava muito. Ele queria poder ver ainda mais vívido — as novas tantas coisas — o que para os seus olhos se pronunciava. A morada era pequena, passava-se logo à cozinha, e ao que não era bem quintal, antes breve clareira, das árvores que não podem entrar dentro de casa. Altas, cipós e orquideazinhas amarelas delas se suspendiam. Dali, podiam sair índios, a onça, leão, lobos, caçadores? Só sons. Um — e outros pássaros — com cantos compridos. Isso foi o que abriu seu coração. Aqueles passarinhos bebiam cachaça?

Senhor! Quando avistou o peru, no centro do terreiro, entre a casa e as árvores da mata. O peru, imperial, dava-lhe as costas, para receber sua admiração. Estalara a cauda, e se entufou, fazendo roda: o rapar das asas no chão — brusco, rijo, — se proclamara. Grugulejou, sacudindo o abotoado grosso de bagas rubras; e a cabeça possuía laivos de um azul-claro, raro, de céu e sanhaços; e ele, completo, torneado, redondoso, todo em esferas e planos, com reflexos de verdes metais em azul-e-preto — o peru para sempre. Belo, belo! Tinha qualquer coisa de calor, poder e flor, um transbordamento. Sua ríspida grandeza tonitruante. Sua colorida empáfia. Satisfazia os olhos, era de se tanger trombeta. Colérico, encachiado, andando, gruziou outro gluglo. O Menino riu, com todo o coração. Mas só bis-viu. Já o chamavam, para passeio.

III

Iam de *jeep*, iam aonde ia ser um sítio do Ipê. O Menino repetia-se em íntimo o nome de cada coisa. A poeira, alvissareira. A malva-do-campo, os lentiscos. O velame-branco, de pelúcia. A cobra-verde, atravessando a estrada. A arnica: em candelabros pálidos. A aparição angélica dos papagaios. As pitangas e seu pingar. O veado campeiro: o rabo branco. As flores em pompa arroxeadas da canela-de-ema. O que o Tio falava: que ali havia "imundície de perdizes". A tropa de seriemas, além, fugindo, em fila, índio-a-índio. O par de garças. Essa paisagem de muita largura, que o grande sol alagava. O buriti, à beira do corguinho, onde, por um momento, atolaram. Todas as coisas, surgidas do opaco. Sustentava-se delas sua incessante alegria, sob espécie sonhosa, bebida, em novos aumentos de amor. E em sua memória ficavam, no perfeito puro, castelos já armados. Tudo, para a seu tempo ser dadamente descoberto, fizera-se primeiro estranho e desconhecido. Ele estava nos ares.

Pensava no peru, quando voltavam. Só um pouco, para não gastar fora de hora o quente daquela lembrança, do mais importante, que estava guardado para ele, no terreirinho das árvores bravas. Só pudera tê-lo um instante, ligeiro, grande, demoroso. Haveria um, assim, em cada casa, e de pessoa?

Tinham fome, servido o almoço, tomava-se cerveja. O Tio, a Tia, os engenheiros. Da sala, não se escutava o galhardo ralhar dele, seu grugulejo? Esta grande cidade ia ser a mais levantada no mundo. Ele abria leque, impante, explodido, se enfunava... Mal comeu dos doces, a marmelada, da terra, que se cortava bonita, o perfume em açúcar e carne de flor. Saiu, sôfrego de o rever.

Não viu: imediatamente. A mata é que era tão feia de altura. E — onde? Só umas penas, restos, no chão. — *"Ué, se matou. Amanhã não é o dia-de-anos do doutor?"* Tudo perdia a eternidade e a certeza; num lufo, num átimo, da gente as mais belas coisas se roubavam. Como podiam? Por que tão de repente? Soubesse que ia acontecer assim, ao menos teria olhado mais o peru — aquele. O peru — seu desaparecer no espaço. Só no grão nulo de um minuto, o Menino recebia em si um miligrama de morte. Já o buscavam: — *"Vamos aonde a grande cidade vai ser, o lago..."*

IV

Cerrava-se, grave, num cansaço e numa renúncia à curiosidade, para não passear com o pensamento. Ia. Teria vergonha de falar do peru. Talvez não devesse, não fosse direito ter por causa dele aquele doer, que põe e punge, de dó, desgosto e desengano. Mas, matarem-no, também, parecia-lhe obscuramente algum erro. Sentia-se sempre mais cansado. Mal podia com o que agora lhe mostravam, na circuntristeza: o um horizonte, homens no trabalho de terraplenagem, os caminhões de cascalho, as vagas árvores, um ribeirão de águas cinzentas, o velame-do-campo apenas uma planta desbotada, o encantamento morto e sem pássaros, o ar cheio de poeira. Sua fadiga, de impedida emoção, formava um medo secreto: descobria o possível de outras adversidades, no mundo maquinal, no hostil espaço; e que entre o contentamento e a desilusão, na balança infidelíssima, quase nada medeia. Abaixava a cabecinha.

Ali fabricava-se o grande chão do aeroporto — transitavam no extenso as compressoras, caçambas, cilindros, o carneiro socando com seus dentes de pilões, as betumadoras. E como haviam cortado lá o mato? — a Tia perguntou. Mostraram-lhe a derrubadora, que havia também: com à frente uma lâmina espessa, feito limpa-trilhos, à espécie de machado. Queria ver? Indicou-se uma árvore: simples, sem nem notável aspecto, à orla da área matagal. O homenzinho tratorista tinha um toco de cigarro na boca. A coisa pôs-se em movimento. Reta, até que devagar. A árvore, de poucos galhos no alto, fresca, de casca clara... e foi só o chofre: *ruh*... sobre o instante ela para lá se caiu, toda, toda. Trapeara tão bela. Sem nem se poder apanhar com os olhos o acertamento — o inaudito choque — o pulso da pancada. O Menino fez ascas. Olhou o céu — atônito de azul. Ele tremia. A árvore, que morrera tanto. A limpa esguiez do tronco e o marulho imediato e final de seus ramos — da parte de nada. Guardou dentro da pedra.

V

De volta, não queria sair mais ao terreirinho, lá era uma saudade abandonada, um incerto remorso. Nem ele sabia bem. Seu pensamentozinho estava ainda na fase hieroglífica. Mas foi, depois do jantar. E — a nem espetaculosa surpresa — viu-o, suave inesperado: o peru, ali estava! Oh, não. Não era o mesmo. Menor, menos muito. Tinha o coral, a arrecauda, a escova, o grugrulhar grufo, mas faltava em sua penosa elegância o recacho, o englobo, a beleza esticada do primeiro. Sua chegada e presença, em todo o caso, um pouco consolavam.

Tudo se amaciava na tristeza. Até o dia; isto era: já o vir da noite. Porém, o subir da noitinha é sempre e sofrido assim, em toda a parte. O silêncio saía de seus guardados. O Menino, timorato, aquietava-se com o próprio quebranto: alguma força, nele, trabalhava por arraigar raízes, aumentar-lhe alma.

Mas o peru se adiantava até à beira da mata. Ali adivinhara — o quê? Mal dava para se ver, no escurecendo. E era a cabeça degolada do outro, atirada ao monturo. O Menino se doía e se entusiasmava.

Mas: não. Não por simpatia companheira e sentida o peru até ali viera, certo, atraído. Movia-o um ódio. Pegava de bicar, feroz, aquela outra cabeça. O Menino não entendia. A mata, as mais negras árvores, eram um montão demais; o mundo.

Trevava.

Voava, porém, a luzinha verde, vindo mesmo da mata, o primeiro vagalume. Sim, o vagalume, sim, era lindo! — tão pequenino, no ar, um instante só, alto, distante, indo-se. Era, outra vez em quando, a Alegria.

Famigerado

Foi de incerta feita — o evento. Quem pode esperar coisa tão sem pés nem cabeça? Eu estava em casa, o arraial sendo de todo tranqüilo. Parou-me à porta o tropel. Cheguei à janela.

Um grupo de cavaleiros. Isto é, vendo melhor: um cavaleiro rente, frente à minha porta, equiparado, exato; e, embolados, de banda, três homens a cavalo. Tudo, num relance, insolitíssimo. Tomeime nos nervos. O cavaleiro esse — o oh-homem-oh — com cara de nenhum amigo. Sei o que é influência de fisionomia. Saíra e viera, aquele homem, para morrer em guerra. Saudou-me seco, curto pesadamente. Seu cavalo era alto, um alazão; bem arreado, ferrado, suado. E concebi grande dúvida.

Nenhum se apeava. Os outros, tristes três, mal me haviam olhado, nem olhassem para nada. Semelhavam a gente receosa, tropa desbaratada, sopitados, constrangidos — coagidos, sim. Isso por isso, que o cavaleiro solerte tinha o ar de regê-los: a meio-gesto, desprezivo, intimara-os de pegarem o lugar onde agora se encostavam. Dado que a frente da minha casa reentrava, metros, da linha da rua, e dos dois lados avançava a cerca, formava-se ali um encantoável, espécie de resguardo. Valendo-se do que, o homem obrigara os outros ao ponto donde seriam menos vistos, enquanto barrava-lhes qualquer fuga; sem contar que, unidos assim, os cavalos se apertando, não dispunham de rápida mobilidade. Tudo enxergara, tomando ganho da topografia. Os três seriam seus prisioneiros, não seus sequazes. Aquele homem, para proceder da forma, só podia ser um brabo sertanejo, jagunço até na escuma do bofe. Senti que não me ficava útil dar cara amena, mostras de temeroso. Eu não tinha arma ao alcance. Tivesse, também, não adiantava. Com um pingo no i, ele me dissolvia. O medo é a extrema ignorância em momento muito agudo. O medo O. O medo me miava. Convidei-o a desmontar, a entrar.

Disse de não, conquanto os costumes. Conservava-se de chapéu. Via-se que passara a descansar na sela — decerto relaxava o corpo para dar-se mais à ingente tarefa de pensar. Perguntei: respondeu-me que não estava doente, nem vindo à receita ou consulta. Sua voz se espaçava, querendo-se calma; a fala de gente de mais longe, talvez são-franciscano. Sei desse tipo de valentão que nada alardeia, sem farroma. Mas avessado, estranhão, perverso brusco, podendo desfechar com algo, de repente, por um és-não-és. Muito de macio, mentalmente, comecei a me organizar. Ele falou:

— "Eu vim preguntar a vosmecê uma opinião sua explicada..."

Carregara a celha. Causava outra inquietude, sua farrusca, a catadura de canibal. Desfranziu-se, porém, quase que sorriu. Daí, desceu do cavalo; maneiro, imprevisto. Se por se cumprir do maior valor de melhores modos; por esperteza? Reteve no pulso a ponta do cabresto, o alazão era para paz. O chapéu sempre na cabeça. Um alarve. Mais os ínvios olhos. E ele era para muito. Seria de ver-se: estava em armas — e de armas alimpadas. Dava para se sentir o peso da de fogo, no cinturão, que usado baixo, para ela estar-se já ao nível justo, ademão, tanto que ele se persistia de braço direito pendido, pronto meneável. Sendo a sela, de notar-se, uma jereba papuda urucuiana, pouco de se achar, na região, pelo menos de tão boa feitura. Tudo de gente brava. Aquele propunha sangue, em suas tenções. Pequeno, mas duro, grossudo, todo em tronco de árvore. Sua máxima violência podia ser para cada momento. Tivesse aceitado de entrar e um café, calmava-me. Assim, porém, banda de fora, sem a-graças de hóspede nem surdez de paredes, tinha para um se inquietar, sem medida e sem certeza.

— "Vosmecê é que não me conhece. Damázio, dos Siqueiras... Estou vindo da Serra..."

Sobressalto. Damázio, quem dele não ouvira? O feroz de estórias de léguas, com dezenas de carregadas mortes, homem perigosíssimo. Constando também, se verdade, que de para uns anos ele se serenara — evitava o de evitar. Fie-se, porém, quem, em tais tréguas de pantera? Ali, antenasal, de mim a palmo! Continuava:

— "Saiba vosmecê que, na Serra, por o ultimamente, se compareceu um moço do Governo, rapaz meio estrondoso... Saiba que estou com ele à revelia... Cá eu não quero questão com o Governo, não estou em saúde nem idade... O rapaz, muitos acham que ele é de seu tanto esmiolado..."

Com arranco, calou-se. Como arrependido de ter começado assim, de evidente. Contra que aí estava com o fígado em más margens; pensava, pensava. Cabismeditado. Do que, se resolveu. Levantou as feições. Se é que se riu: aquela crueldade de dentes. Encarar, não me encarava, só se fito à meia esguelha. Latejava-lhe um orgulho indeciso. Redigiu seu monologar.

O que frouxo falava: de outras, diversas pessoas e coisas, da Serra, do São Ão, travados assuntos, inseqüentes, como dificultação. A conversa era para teias de aranha. Eu tinha de entender-lhe as mínimas entonações, seguir seus propósitos e silêncios. Assim no fechar-se com o jogo, sonso, no me iludir, ele enigmava. E, pá:

— "Vosmecê agora me faça a boa obra de querer me ensinar o que é mesmo que é: *fasmisgerado... faz-me-gerado... falmisgeraldo... familhas-gerado...?*"

Disse, de golpe, trazia entre dentes aquela frase. Soara com riso seco. Mas, o gesto, que se seguiu, imperava-se de toda a rudez primitiva, de sua presença dilatada. Detinha minha resposta, não queria que eu a desse de imediato. E já aí outro susto vertiginoso suspendia-me: alguém podia ter feito intriga, invencionice de atribuir-me a palavra de ofensa àquele homem; que muito, pois, que aqui ele se famanasse, vindo para exigir-me, rosto a rosto, o fatal, a vexatória satisfação?

— "Saiba vosmecê que saí ind'hoje da Serra, que vim, sem parar, essas seis léguas, expresso direto pra mor de lhe preguntar a pregunta, pelo claro..."

Se sério, se era. Transiu-se-me.

— "Lá, e por estes meios de caminho, tem nenhum ninguém ciente, nem têm o legítimo — o livro que aprende as palavras... É gente pra informação torta, por se fingirem de menos ignorâncias... Só se o padre, no São Ão, capaz, mas com padres não me dou: eles logo engambelam... A bem. Agora, se me faz mercê, vosmecê me fale, no pau da peroba, no aperfeiçoado: o que é que é, o que já lhe preguntei?"

Se simples. Se digo. Transfoi-se-me. Esses trizes:

— *Famigerado?*

— "Sim senhor..." — e, alto, repetiu, vezes, o termo, enfim nos vermelhões da raiva, sua voz fora de foco. E já me olhava, interpelador, intimativo — apertava-me. Tinha eu que descobrir a cara. — *Famigerado?* Habitei preâmbulos. Bem que eu me carecia noutro ínterim, em indúcias. Como por socorro, espiei os três outros, em seus cavalos, intugidos até então, mumumudos. Mas, Damázio:

— "Vosmecê declare. Estes aí são de nada não. São da Serra. Só vieram comigo, pra testemunho..."

Só tinha de desentalar-me. O homem queria estrito o caroço: o verivérbio.

— *Famigerado* é inóxio, é "célebre", "notório", "notável"...

— "Vosmecê mal não veja em minha grossaria no não entender. Mais me diga: é desaforado? É caçoável? É de arrenegar? Farsância? Nome de ofensa?"

— Vilta nenhuma, nenhum doesto. São expressões neutras, de outros usos...

— "Pois... e o que é que é, em fala de pobre, linguagem de em dia-de-semana?"

— *Famigerado?* Bem. É: "importante", que merece louvor, respeito...

— "Vosmecê agarante, pra a paz das mães, mão na Escritura?"

Se certo! Era para se empenhar a barba. Do que o diabo, então eu sincero disse:

— Olhe: eu, como o sr. me vê, com vantagens, hum, o que eu queria uma hora destas era ser famigerado — bem famigerado, o mais que pudesse!...

— "Ah, bem!..." — soltou, exultante.

Saltando na sela, ele se levantou de molas. Subiu em si, desagravava-se, num desafogaréu. Sorriu-se, outro. Satisfez aqueles três: — "Vocês podem ir, compadres. Vocês escutaram bem a boa descrição..." — e eles prestes se partiram. Só aí se chegou, beirando-me a janela, aceitava um copo d'água. Disse: — "Não há como que as grandezas machas duma pessoa instruída!" Seja que de novo, por um mero, se torvava? Disse: — "Sei lá, às vezes o melhor mesmo, para esse moço do Governo, era ir-se embora, sei não..." Mas mais sorriu, apagara-se-lhe a inquietação. Disse: — "A gente tem cada cisma de dúvida boba, dessas desconfianças... Só pra azedar a mandioca..." Agradeceu, quis me apertar a mão. Outra vez, aceitaria de entrar em minha casa. Oh, pois. Esporou, foi-se, o alazão, não pensava no que o trouxera, tese para alto rir, e mais, o famoso assunto.

Sorôco, sua mãe, sua filha

Aquele carro parara na linha de resguardo, desde a véspera, tinha vindo com o expresso do Rio, e estava lá, no desvio de dentro, na esplanada da estação. Não era um vagão comum de passageiros, de primeira, só que mais vistoso, todo novo. A gente reparando, notava as diferenças. Assim repartido em dois, num dos cômodos as janelas sendo de grades, feito as de cadeia, para os presos. A gente sabia que, com pouco, ele ia rodar de volta, atrelado ao expresso daí de baixo, fazendo parte da composição. Ia servir para levar duas mulheres, para longe, para sempre. O trem do sertão passava às 12h45m.

As muitas pessoas já estavam de ajuntamento, em beira do carro, para esperar. As pessoas não queriam poder ficar se entristecendo, conversavam, cada um porfiando no falar com sensatez, como sabendo mais do que os outros a prática do acontecer das coisas. Sempre chegava mais povo — o movimento. Aquilo quase no fim da esplanada, do lado do curral de embarque de bois, antes da guarita do guarda-chaves, perto dos empilhados de lenha. Sorôco ia trazer as duas, conforme. A mãe de Sorôco era de idade, com para mais de uns setenta. A filha, ele só tinha aquela. Sorôco era viúvo. Afora essas, não se conhecia dele o parente nenhum.

A hora era de muito sol — o povo caçava jeito de ficarem debaixo da sombra das árvores de cedro. O carro lembrava um canoão no seco, navio. A gente olhava: nas reluzências do ar, parecia que ele estava tôrto, que nas pontas se empinava. O borco bojudo do telhadilho dele alumiava em preto. Parecia coisa de invento de muita distância, sem piedade nenhuma, e que a gente não pudesse imaginar direito nem se acostumar de ver, e não sendo de ninguém. Para onde ia, no levar as mulheres, era para um lugar chamado Barbacena, longe. Para o pobre, os lugares são mais longe.

O Agente da estação apareceu, fardado de amarelo, com o livro de capa preta e as bandeirinhas verde e vermelha debaixo do braço. — *"Vai ver se botaram água fresca no carro..."* — ele mandou. Depois, o guarda-freios andou mexendo nas mangueiras de engate. Alguém deu aviso: — *"Eles vêm!..."* Apontavam, da Rua de Baixo, onde morava Sorôco. Ele era um homenzão, brutalhudo de corpo, com a cara grande, uma barba, fiosa, encardida em amarelo, e uns pés, com alpercatas: as crianças tomavam medo dele; mais, da voz, que era quase pouca, grossa, que em seguida se afinava. Vinham vindo, com o trazer de comitiva.

Aí, paravam. A filha — a moça — tinha pegado a cantar, levantando os braços, a cantiga não vigorava certa, nem no tom nem no se-dizer das palavras — o nenhum. A moça punha os olhos no alto, que nem os santos e os espantados, vinha enfeitada de disparates, num aspecto de admiração. Assim com panos e papéis, de diversas cores, uma carapuça em cima dos espalhados cabelos, e enfunada em tantas roupas ainda de mais misturas, tiras e faixas, dependuradas — virundangas: matéria de maluco. A velha só estava de preto, com um fichu preto, ela batia com a cabeça, nos docementes. Sem tanto que diferentes, elas se assemelhavam.

Sorôco estava dando o braço a elas, uma de cada lado. Em mentira, parecia entrada em igreja, num casório. Era uma tristeza. Parecia enterro. Todos ficavam de parte, a chusma de gente não querendo afirmar as vistas, por causa daqueles trasmodos e despropósitos, de fazer risos, e por conta de Sorôco — para não parecer pouco caso. Ele hoje estava calçado de botinas, e de paletó, com chapéu grande, botara sua roupa melhor, os maltrapos. E estava reportado e atalhado, humildoso. Todos diziam a ele seus respeitos, de dó. Ele respondia: — *"Deus vos pague essa despesa..."*

O que os outros se diziam: que Sorôco tinha tido muita paciência. Sendo que não ia sentir falta dessas transtornadas pobrezinhas, era até um alívio. Isso não tinha cura, elas não iam voltar, nunca mais. De antes, Sorôco agüentara de repassar tantas desgraças, de morar com as duas, pelejava. Daí, com os anos, elas pioraram, ele não dava mais conta, teve de chamar ajuda, que foi preciso. Tiveram que olhar em socorro dele, determinar de dar as providências, de mercê. Quem pagava tudo era o Governo, que tinha mandado o carro. Por forma que, por força disso, agora iam remir com as duas, em hospícios. O se seguir.

De repente, a velha se desapareceu do braço de Sorôco, foi se sentar no degrau da escadinha do carro. — *"Ela não faz nada, seo Agente..."* — a voz de Sorôco estava muito branda: — *"Ela não acode, quando a gente chama..."* A moça, aí, tornou a cantar, virada para o povo, o ao ar, a cara dela era um repouso estatelado, não queria dar-se em espetáculo, mas representava de outroras grandezas, impossíveis. Mas a gente viu a velha olhar para ela, com um encanto de pressentimento muito antigo — um amor extremoso. E, principiando baixinho, mas depois puxando pela voz, ela pegou a cantar, também, tomando o exemplo, a cantiga mesma da outra, que ninguém não entendia. Agora elas cantavam junto, não paravam de cantar.

Aí que já estava chegando a horinha do trem, tinham de dar fim aos aprestes, fazer as duas entrar para o carro de janelas enxequetadas de grades. Assim, num consumiço, sem despedida nenhuma, que elas nem haviam de poder entender. Nessa diligência, os que iam com elas, por bem-fazer, na viagem comprida, eram o Nenêgo, despachado e animoso, e o José Abençoado, pessoa de muita cautela, estes serviam para ter mão nelas, em toda juntura. E subiam também no carro uns rapazinhos, carregando as trouxas e malas, e as coisas de comer, muitas, que não iam fazer míngua, os embrulhos de pão. Por derradeiro, o Nenêgo ainda se apareceu na plataforma, para os gestos de que tudo ia em ordem. Elas não haviam de dar trabalhos.

Agora, mesmo, a gente só escutava era o acorçôo do canto, das duas, aquela chirimia, que avocava: que era um constado de enormes diversidades desta vida, que podiam doer na gente, sem jurisprudência de motivo nem lugar, nenhum, mas pelo antes, pelo depois.

Sorôco.

Tomara aquilo se acabasse. O trem chegando, a máquina manobrando sozinha para vir pegar o carro. O trem apitou, e passou, se foi, o de sempre.

Sorôco não esperou tudo se sumir. Nem olhou. Só ficou de chapéu na mão, mais de barba quadrada, surdo — o que nele mais espantava. O triste do homem, lá, decretado, embargando-se de poder falar algumas suas palavras. Ao sofrer o assim das coisas, ele, no oco sem beiras, debaixo do peso, sem queixa, exemploso. E lhe falaram: — *"O mundo está dessa forma..."* Todos, no arregalado respeito, tinham as vistas neblinadas. De repente, todos gostavam demais de Sorôco.

Ele se sacudiu, de um jeito arrebentado, desacontecido, e virou, pra ir-s'embora. Estava voltando para casa, como se estivesse indo para longe, fora de conta.

Mas, parou. Em tanto que se esquisitou, parecia que ia perder o de si, parar de ser. Assim num excesso de espírito, fora de sentido. E foi o que não se podia prevenir: quem ia fazer siso naquilo? Num rompido — ele começou a cantar, alteado, forte, mas sozinho para si — e era a cantiga, mesma, de desatino, que as duas tanto tinham cantado. Cantava continuando.

A gente se esfriou, se afundou — um instantâneo. A gente... E foi sem combinação, nem ninguém entendia o que se fizesse: todos, de uma vez, de dó do Sorôco, principiaram também a acompanhar aquele canto sem razão. E com as vozes tão altas! Todos caminhando, com ele, Sorôco, e canta que cantando, atrás dele, os mais de detrás quase que corriam, ninguém deixasse de cantar. Foi o de não sair mais da memória. Foi um caso sem comparação.

A gente estava levando agora o Sorôco para a casa dele, de verdade. A gente, com ele, ia até aonde que ia aquela cantiga.

A menina de lá

SUA CASA FICAVA PARA TRÁS DA SERRA DO MIM, QUASE no meio de um brejo de água limpa, lugar chamado o Temor-de-Deus. O Pai, pequeno sitiante, lidava com vacas e arroz; a Mãe, urucuiana, nunca tirava o terço da mão, mesmo quando matando galinhas ou passando descompostura em alguém. E ela, menininha, por nome Maria, Nhinhinha dita, nascera já muito para miúda, cabeçudota e com olhos enormes.

Não que parecesse olhar ou enxergar de propósito. Parava quieta, não queria bruxas de pano, brinquedo nenhum, sempre sentadinha onde se achasse, pouco se mexia. — "Ninguém entende muita coisa que ela fala..." — dizia o Pai, com certo espanto. Menos pela estranhez das palavras, pois só em raro ela perguntava, por exemplo: — *"Ele xurugou?"* — e, vai ver, quem e o quê, jamais se saberia. Mas, pelo esquisito do juízo ou enfeitado do sentido. Com riso imprevisto: — *"Tatu não vê a lua..."* — ela falasse. Ou referia estórias, absurdas, vagas, tudo muito curto: da abelha que se voou para uma nuvem; de uma porção de meninas e meninos sentados a uma mesa de doces, comprida, comprida, por tempo que nem se acabava; ou da precisão de se fazer lista das coisas todas que no dia por dia a gente vem perdendo. Só a pura vida.

Em geral, porém, Nhinhinha, com seus nem quatro anos, não incomodava ninguém, e não se fazia notada, a não ser pela perfeita calma, imobilidade e silêncios. Nem parecia gostar ou desgostar especialmente de coisa ou pessoa nenhuma. Botavam para ela a comida, ela continuava sentada, o prato de folha no colo, comia logo a carne ou o ovo, os torresmos, o do que fosse mais gostoso e atraente, e ia consumindo depois o resto, feijão, angu, ou arroz, abóbora, com artística lentidão. De vê-la tão perpétua e imperturbada, a gente se assustava de repente. — "Nhinhinha, que é que você está fazendo?" — perguntava-se. E ela respondia, alongada, sorrida, moduladamente: — *"Eu... to-u... fa-a-zendo."* Fazia vácuos. Seria mesmo seu tanto tolinha?

Nada a intimidava. Ouvia o Pai querendo que a Mãe coasse um café forte, e comentava, se sorrindo: — *"Menino pidão... Menino pidão..."* Costumava também dirigir-se à Mãe desse jeito: — *"Menina grande... Menina grande..."* Com isso Pai e Mãe davam de zangar-se. Em vão. Nhinhinha murmurava só: — *"Deixa... Deixa..."* — suasibilíssima, inábil como uma flor. O mesmo dizia quando vinham chamá-la para qualquer novidade, dessas de entusiasmar adultos e crianças. Não se importava com os acontecimentos. Tranqüila, mas viçosa em saúde. Ninguém tinha real poder sobre ela, não se sabiam suas preferências. Como puni-la? E, bater-lhe, não ousassem; nem havia motivo. Mas, o respeito que tinha por Mãe e Pai, parecia mais uma engraçada espécie de tolerância. E Nhinhinha gostava de mim.

Conversávamos, agora. Ela apreciava o casacão da noite. — *"Cheiinhas!"* — olhava as estrelas, deléveis, sobre-humanas. Chamava-as de *"estrelinhas pia-pia"*. Repetia: — *"Tudo nascendo!"* — essa sua exclamação dileta, em muitas ocasiões, com o deferir de um sorriso. E o ar. Dizia que o ar estava com cheiro de lembrança. — *"A gente não vê quando o vento se acaba..."* Estava no quintal, vestidinha de amarelo. O que falava, às vezes era comum, a gente é que ouvia exagerado: — *"Alturas de urubuir..."* Não, dissera só: — *"... altura de urubu não ir."* O dedinho chegava quase no céu. Lembrou-se de: — *"Jabuticaba de vem-me-ver..."* Suspirava, depois: — *"Eu quero ir para lá."* — Aonde? — *"Não sei."* Aí, observou: — *"O passarinho desapareceu de cantar..."* De fato, o passarinho tinha estado cantando, e, no escorregar do tempo, eu pensava que não estivesse ouvindo; agora, ele se interrompera. Eu disse: — "A avezinha." De por diante, Nhinhinha passou a chamar o sabiá de

"Senhora Vizinha..." E tinha respostas mais longas: — *"Eeu? Tou fazendo saudade."* Outra hora, falava-se de parentes já mortos, ela riu: — *"Vou visitar eles..."* Ralhei, dei conselhos, disse que ela estava com a lua. Olhou-me, zombaz, seus olhos muito perspectivos: — *"Ele te xurugou?"* Nunca mais vi Nhinhinha.

Sei, porém, que foi por aí que ela começou a fazer milagres.

Nem Mãe nem Pai acharam logo a maravilha, repentina. Mas Tiantônia. Parece que foi de manhã. Nhinhinha, só, sentada, olhando o nada diante das pessoas: — *"Eu queria o sapo vir aqui."* Se bem a ouviram, pensaram fosse um patranhar, o de seus disparates, de sempre. Tiantônia, por vezo, acenou-lhe com o dedo. Mas, aí, reto, aos pulinhos, o ser entrava na sala, para aos pés de Nhinhinha — e não o sapo de papo, mas bela rã brejeira, vinda do verduroso, a rã verdíssima. Visita dessas jamais acontecera. E ela riu: — *"Está trabalhando um feitiço..."* Os outros se pasmaram; silenciaram demais.

Dias depois, com o mesmo sossego: — *"Eu queria uma pamonhinha de goiabada..."* — sussurrou; e, nem bem meia hora, chegou uma dona, de longe, que trazia os pãezinhos da goiabada enrolada na palha. Aquilo, quem entendia? Nem os outros prodígios, que vieram se seguindo. O que ela queria, que falava, súbito acontecia. Só que queria muito pouco, e sempre as coisas levianas e descuidosas, o que não põe nem quita. Assim, quando a Mãe adoeceu de dôres, que eram de nenhum remédio, não houve fazer com que Nhinhinha lhe falasse a cura. Sorria apenas, segredando seu — *"Deixa... Deixa..."* — não a podiam despersuadir. Mas veio, vagarosa, abraçou a Mãe e a beijou, quentinha. A Mãe, que a olhava com estarrecida fé, sarou-se então, num minuto. Souberam que ela tinha também outros modos.

Decidiram de guardar segredo. Não viessem ali os curiosos, gente maldosa e interesseira, com escândalos. Ou os padres, o bispo, quisessem tomar conta da menina, levá-la para sério convento. Ninguém, nem os parentes de mais perto, devia saber. Também, o Pai, Tiantônia e a Mãe, nem queriam versar conversas, sentiam um medo extraordinário da coisa. Achavam ilusão.

O que ao Pai, aos poucos, pegava a aborrecer, era que de tudo não se tirasse o sensato proveito. Veio a seca, maior, até o brejo ameaçava de se estorricar. Experimentaram pedir a Nhinhinha: que quisesse a chuva. — *"Mas, não pode, ué..."* — ela sacudiu a cabecinha. Instaram-na: que, se não, se acabava tudo, o leite, o arroz, a carne, os doces, frutas, o melado. — *"Deixa... Deixa..."* — se sorria, repousada, chegou a fechar os olhos, ao insistirem, no súbito adormecer das andorinhas.

Daí a duas manhãs, quis: queria o arco-íris. Choveu. E logo aparecia o arco-da-velha, sobressaído em verde e o vermelho — que era mais um vivo cor-de-rosa. Nhinhinha se alegrou, fora do sério, à tarde do dia, com a refrescação. Fez o que nunca se lhe vira, pular e correr por casa e quintal. — "Adivinhou passarinho verde?" — Pai e Mãe se perguntavam. Esses, os passarinhos, cantavam, deputados de um reino. Mas houve que, a certo momento, Tiantônia repreendesse a menina, muito brava, muito forte, sem usos, até a Mãe e o Pai não entenderam aquilo, não gostaram. E Nhinhinha, branda, tornou a ficar sentadinha, inalterada que nem se sonhasse, ainda mais imóvel, com seu passarinho-verde pensamento. Pai e Mãe cochichavam, contentes: que, quando ela crescesse e tomasse juízo, ia poder ajudar muito a eles, conforme à Providência decerto prazia que fosse.

E, vai, Nhinhinha adoeceu e morreu. Diz-se que da má água desses ares. Todos os vivos atos se passam longe demais.

Desabado aquele feito, houve muitas diversas dôres, de todos, dos de casa: um de-repente enorme. A Mãe, o Pai e Tiantônia davam conta de que era a mesma coisa que se cada um deles tivesse morrido por metade. E mais para repassar o coração, de se ver quando a Mãe desfiava o terço, mas em vez das ave-marias podendo só gemer aquilo de — *"Menina grande... Menina grande..."* — com toda ferocidade. E o Pai alisava com as mãos o tamboretinho em que Nhinhinha se sentava tanto, e em que ele mesmo se sentar não podia, que com o peso de seu corpo de homem o tamboretinho se quebrava.

Agora, precisavam de mandar recado, ao arraial, para fazerem o caixão e aprontarem o enterro, com acompanhamento de virgens e anjos. Aí, Tiantônia tomou coragem, carecia de contar: que, naquele dia, do arco-íris da chuva, do passarinho, Nhinhinha tinha falado despropositado desatino, por isso com ela ralhara. O que fora: que queria um caixãozinho cor-de-rosa, com enfeites verdes brilhantes... A agouraria! Agora, era para se encomendar o caixãozinho assim, sua vontade?

O Pai, em bruscas lágrimas, esbravejou: que não! Ah, que, se consentisse nisso, era como tomar culpa, estar ajudando ainda a Nhinhinha a morrer...

A Mãe queria, ela começou a discutir com o Pai. Mas, no mais choro, se serenou — o sorriso tão bom, tão grande — suspensão num pensamento: que não era preciso encomendar, nem explicar, pois havia de sair bem assim, do jeito, cor-de-rosa com verdes funebrilhos, porque era, tinha de ser! — pelo milagre, o de sua filhinha em glória, Santa Nhinhinha.

Os irmãos Dagobé

Enorme desgraça. Estava-se no velório de Damastor Dagobé, o mais velho dos quatro irmãos, absolutamente facínoras. A casa não era pequena; mas nela mal cabiam os que vinham fazer quarto. Todos preferiam ficar perto do defunto, todos temiam mais ou menos os três vivos.

Demos, os Dagobés, gente que não prestava. Viviam em estreita desunião, sem mulher em lar, sem mais parentes, sob a chefia despótica do recém-finado. Este fora o grande pior, o cabeça, ferrabrás e mestre, que botara na obrigação da ruim fama os mais moços — "os meninos", segundo seu rude dizer.

Agora, porém, durante que morto, em não-tais condições, deixava de oferecer perigo, possuindo — no acêso das velas, no entre algumas flores — só aquela careta sem-querer, o queixo de piranha, o nariz todo torto e seu inventário de maldades. Debaixo das vistas dos três em luto, devia-se-lhe contudo guardar ainda acatamento, convinha.

Serviam-se, vez em quando, café, cachaça-queimada, pipocas, assim aos-usos. Soava um vozeio simples, baixo, dos grupos de pessoas, pelos escuros ou no foco das lamparinas e lampiões. Lá fora, a noite fechada; tinha chovido um pouco. Raro, um falava mais forte, e súbito se moderava, e compungia-se, acordando de seu descuido. Enfim, igual ao igual, a cerimônia, à moda de lá. Mas tudo tinha um ar de espantoso.

Eis que eis: um lagalhé pacífico e honesto, chamado Liojorge, estimado de todos, fora quem enviara Damastor Dagobé, para o sem-fim dos mortos. O Dagobé, sem sabida razão, ameaçara de cortar-lhe as orelhas. Daí, quando o viu, avançara nele, com punhal e ponta; mas o quieto do rapaz, que arranjara uma garrucha, despejou-lhe o tiro no centro dos peitos, por cima do coração. Até aí, viveu o Telles.

Depois do que muito sucedeu, porém, espantavam-se de que os irmãos não tivessem obrado a vingança. Em vez, apressaram-se de armar velório e enterro. E era mesmo estranho.

Tanto mais que aquele pobre Liojorge permanecia ainda no arraial, solitário em casa, resignado já ao péssimo, sem ânimo de nenhum movimento.

Aquilo podia-se entender? Eles, os Dagobés sobrevivos, faziam as devidas honras, serenos, e, até, sem folia mas com a alguma alegria. Derval, o caçula, principalmente, se mexia, social, tão diligente, para os que chegavam ou estavam: — *"Desculpe os maus tratos..."* Doricão, agora o mais-velho, mostrava-se já solene sucessor de Damastor, como ele corpulento, entre leonino e muar, o mesmo maxilar avançado e os olhinhos nos venenos; olhava para o alto, com especial compostura, pronunciava: — *"Deus há-de-o ter!"* E o do meio, Dismundo, formoso homem, punha uma devoção sentimental, sustida, no ver o corpo na mesa: — *"Meu bom irmão..."*

Com efeito, o finado, tão sordidamente avaro, ou mais, quanto mandão e cruel, sabia-se que havia deixado boa quantia de dinheiro, em notas, em caixa.

Se assim, qual nada: a ninguém enganavam. Sabiam o até-que-ponto, o que ainda não estavam fazendo. Aquilo era quando as onças. Mais logo. Só queriam ir por partes, nada de açodados, tal sua não rapidez. Sangue por sangue; mas, por uma noite, umas horas, enquanto honravam o falecido, podiam suspender as armas, no falso fiar. Depois do cemitério, sim, pegavam o Liojorge, com ele terminavam.

Sendo o que se comentava, aos cantos, sem ócio de língua e lábios, num sussurruído, nas tantas perturbações. Pelo que, aqueles Dagobés; brutos só de assomos, mas treitentos, também, de guardar brasas em pote, e os chefes de tudo, não iam deixar uma paga em paz: se via que estavam de tenção feita. Por isso mesmo, era que não conseguiam disfarçar o certo solerte contentamento, perto de rir. Saboreavam já o sangrar. Sempre, a cada podido momento, em sutil tornavam a juntar-se, num vão de janela, no miúdo confabulejo. Bebiam. Nunca um dos três se distanciava dos outros: o que era, que se acautelavam? E a eles se chegava, vez pós vez, algum comparecente, mais compadre, mais confioso — trazia notícias, segredava.

O assombrável! Iam-se e vinham-se, no estiar da noite, e: o que tratavam no propor, era só a respeito do rapaz Liojorge, criminal de legítima defesa, por mão de quem o Dagobé Damastor fizera passagem daqui. Sabia-se já do quê, entre os velantes; sempre alguém, a pouco e pouco, passava palavra. O Liojorge, sozinho em sua morada, sem companheiros, se doidava? Decerto, não tinha a expediência de se aproveitar para escapar, o que não adiantava — fosse aonde fosse, cedo os três o agarravam. Inútil resistir, inútil fugir, inútil tudo. Devia de estar em o se agachar, ver-se em amarelas: por lá, borrufado de medo, sem meios, sem valor, sem armas. Já era alma para sufrágios! E, não é que, no entanto...

Só uma primeira idéia. Com que, alguém, que de lá vindo voltando, aos donos do morto ia dar informação, a substância deste recado. Que o rapaz Liojorge, ousado lavrador, afiançava que não tinha querido matar irmão de cidadão cristão nenhum, puxara só o gatilho no derradeiro do instante, por dever de se livrar, por destinos de desastre! Que matara com respeito. E que, por coragem de prova, estava disposto a se apresentar, desarmado, ali perante, dar a fé de vir, pessoalmente, para declarar sua forte falta de culpa, caso tivessem lealdade.

O pálido pasmo. Se caso que já se viu? De medo, esse Liojorge doidara, já estava sentenciado. Tivesse a meia coragem? Viesse: pular da frigideira para as brasas. E em fato até de arrepios — o quanto tanto se sabia — que, presente o matador, torna a botar sangue o matado! Tempos, estes. E era que, no lugar, ali nem havia autoridade.

A gente espiava os Dagobés, aqueles três pestanejares. Só: — *"Dei'stá..."* — o Dismundo dizia. O Derval: — *"Se esteja a gosto!"* — hospedoso, a casa honrava. Severo, em si, enorme o Doricão.

Só fez não dizer. Subiu na seriedade. De receio, os circunstantes tomavam mais cachaça-queimada. Tinha caído outra chuva. O prazo de um velório, às vezes, parece muito dilatado.

Mal acabaram de ouvir. Suspendeu-se o indaguejar. Outros embaixadores chegavam. Queriam conciliar as pazes, ou pôr urgência na maldade? A estúrdia proposição! A qual era: que o Liojorge se oferecia, para ajudar a carregar o caixão... Ouviu-se bem? Um doido — e as três feras loucas; o que já havia, não bastava?

O que ninguém acreditava: tomou a ordem de palavra o Doricão, com um gesto destemperado. Falou indiferentemente, dilatavam-se-lhe os frios olhos. Então, que sim, viesse — disse — depois do caixão fechado. A tramada situação. A gente vê o inesperado.

Se e se? A gente ia ver, à espera. Com os soturnos pesos nos corações; um certo espalhado susto, pelo menos. Eram horas precárias. E despontou devagar o dia. Já manhã. O defunto fedia um pouco. Arre.

Sem cena, fechou-se o caixão, sem graças. O caixão, de longa tampa. Olhavam com ódio os Dagobés — fosse ódio do Liojorge. Suposto isto, cochichava-se. Rumor geral, o lugubrulho: — *"Já que já, ele vem..."* — e outras concisas palavras.

De fato, chegava. Tinha-se de arregalar em par os olhos. Alto, o moço Liojorge, varrido de todo o atinar. Não era animosamente, nem sendo por afrontar. Seria assim de alma entregue, uma humildade mortal. Dirigiu-se aos três: — *"Com Jesus!"* — ele, com firmeza. E? — aí. Derval, Dismundo e Doricão — o qual o demônio em modo humano. Só falou o quase: — *"Hum... Ah!"* Que coisa.

Houve o pegar para carregar: três homens de cada lado. O Liojorge pegasse na alça, à frente, da banda esquerda — indicaram. E o enquadravam os Dagobés, de ódio em torno. Então, foi saindo o cortejo, terminado o interminável. Sortido assim, ramo de gente, uma pequena multidão. Toda a rua enlameada. Os abelhudos mais adiante, os prudentes na retaguarda. Catava-se o chão com o olhar. À frente de tudo, o caixão, com as vacilações naturais. E os perversos Dagobés. E o Liojorge, ladeado. O importante enterro. Caminhava-se.

No pé-tintim, mui de passo. Naquele entremeamento, todos, em cochicho ou silêncio, se entendiam, com fome de perguntidade. O

Liojorge, esse, sem escape. Tinha de fazer bem a sua parte: ter as orelhas baixadas. O valente, sem retorno. Feito um criado. O caixão parecia pesado. Os três Dagobés, armados. Capazes de qualquer supetão, já estavam de mira firmada. Sem se ver, se adivinhava. E, nisso, caía uma chuvinha. Caras e roupas se ensopavam. O Liojorge — que estarrecia! — sua tenência no ir, sua tranqüilidade de escravo. Rezava? Não soubesse parte de si, só a presença fatal.

E, agora, já se sabia: baixado o caixão na cova, à queima-bucha o matavam; no expirar de um credo. A chuvinha já abrandava. Não se ia passar na igreja? Não, no lugar não havia padre.

Prosseguia-se.

E entravam no cemitério. *"Aqui, todos vêm dormir"* — era, no portão, o letreiro. Fez-se o airado ajuntamento, no barro, em beira do buraco; muitos, porém, mais para trás, preparando o foge-foge. A forte circunspectância. O nenhum despedimento: ao uma-vez Dagobé, Damastor. Depositado fundo, em forma, por meio de rijas cordas. Terra em cima: pá e pá; assustava a gente, aquele som. E agora?

O rapaz Liojorge esperava, ele se escorregou em si. Via só sete palmos de terra, dele diante do nariz? Teve um olhar árduo. À pandilha dos irmãos. O silêncio se torcia. Os dois, Dismundo e Derval, esperavam o Doricão. Súbito, sim: o homem desenvolveu os ombros; só agora via o outro, em meio àquilo?

Olhou-o curtamente. Levou a mão ao cinturão? Não. A gente, era que assim previa, a falsa noção do gesto. Só disse, subitamente ouviu-se: — *"Moço, o senhor vá, se recolha. Sucede que o meu saudoso Irmão é que era um diabo de danado..."*

Disse isso, baixo e mau-som. Mas se virou para os presentes. Seus dois outros manos, também. A todos, agradeciam. Se não é que não sorriam, apressurados. Sacudiam dos pés a lama, limpavam as caras do respingado. Doricão, já fugaz, disse, completou: — *"A gente, vamos'embora, morar em cidade grande..."* O enterro estava acabado. E outra chuva começava.

A terceira margem do rio

NOSSO PAI ERA HOMEM CUMPRIDOR, ORDEIRO, POSITIVO; e sido assim desde mocinho e menino, pelo que testemunharam as diversas sensatas pessoas, quando indaguei a informação. Do que eu mesmo me alembro, ele não figurava mais estúrdio nem mais triste do que os outros, conhecidos nossos. Só quieto. Nossa mãe era quem regia, e que ralhava no diário com a gente — minha irmã, meu irmão e eu. Mas se deu que, certo dia, nosso pai mandou fazer para si uma canoa.

Era a sério. Encomendou a canoa especial, de pau de vinhático, pequena, mal com a tabuinha da popa, como para caber justo o remador. Mas teve de ser toda fabricada, escolhida forte e arqueada em rijo, própria para dever durar na água por uns vinte ou trinta anos. Nossa mãe jurou muito contra a idéia. Seria que, ele, que nessas artes não vadiava, se ia propor agora para pescarias e caçadas? Nosso pai nada não dizia. Nossa casa, no tempo, ainda era mais próxima do rio, obra de nem quarto de légua: o rio por aí se estendendo grande, fundo, calado que sempre. Largo, de não se poder ver a forma da outra beira. E esquecer não posso, do dia em que a canoa ficou pronta.

Sem alegria nem cuidado, nosso pai encalcou o chapéu e decidiu um adeus para a gente. Nem falou outras palavras, não pegou matula e trouxa, não fez a alguma recomendação. Nossa mãe, a gente achou que ela ia esbravejar, mas persistiu somente alva de pálida, mascou o beiço e bramou: — *"Cê vai, ocê fique, você nunca volte!"*

Nosso pai suspendeu a resposta. Espiou manso para mim, me acenando de vir também, por uns passos. Temi a ira de nossa mãe, mas obedeci, de vez de jeito. O rumo daquilo me animava, chega que um propósito perguntei: — *"Pai, o senhor me leva junto, nessa sua canoa?"* Ele só retornou o olhar em mim, e me botou a bênção, com gesto me mandando para trás. Fiz que vim, mas ainda virei, na grota do mato, para saber. Nosso pai entrou na canoa e desamarrou, pelo remar. E a canoa saiu se indo — a sombra dela por igual, feito um jacaré, comprida longa.

Nosso pai não voltou. Ele não tinha ido a nenhuma parte. Só executava a invenção de se permanecer naqueles espaços do rio, de meio a meio, sempre dentro da canoa, para dela não saltar, nunca mais. A estranheza dessa verdade deu para estarrecer de todo a gente. Aquilo que não havia, acontecia. Os parentes, vizinhos e conhecidos nossos, se reuniram, tomaram juntamente conselho.

Nossa mãe, vergonhosa, se portou com muita cordura; por isso, todos pensaram de nosso pai a razão em que não queriam falar: doideira. Só uns achavam o entanto de poder também ser pagamento de promessa; ou que, nosso pai, quem sabe, por escrúpulo de estar com alguma feia doença, que seja, a lepra, se desertava para outra sina de existir, perto e longe de sua família dele. As vozes das notícias se dando pelas certas pessoas — passadores, moradores das beiras, até do afastado da outra banda — descrevendo que nosso pai nunca se surgia a tomar terra, em ponto nem canto, de dia nem de noite, da forma como cursava no rio, solto solitariamente. Então, pois, nossa mãe e os aparentados nossos, assentaram: que o mantimento que tivesse, ocultado na canoa, se gastava; e, ele, ou desembarcava e viajava s'embora, para jamais, o que ao menos se condizia mais correto, ou se arrependia, por uma vez, para casa.

No que num engano. Eu mesmo cumpria de trazer para ele, cada dia, um tanto de comida furtada: a idéia que senti, logo na primeira noite, quando o pessoal nosso experimentou de acender fogueiras em beirada do rio, enquanto que, no alumiado delas, se rezava e se chamava. Depois, no seguinte, apareci, com rapadura, broa de pão, cacho de bananas. Enxerguei nosso pai, no enfim de uma hora, tão custosa para sobrevir: só assim, ele no ao-longe, sentado no fundo da canoa, suspendia no liso do rio. Me viu, não remou para cá, não fez sinal. Mostrei o de comer, depositei num oco de pedra do barranco, a salvo de bicho mexer e a seco de chuva e orvalho. Isso, que fiz, e refiz, sempre, tempos a fora. Surpresa que mais tarde tive: que nossa mãe sabia desse meu encargo, só se encobrindo de não saber; ela mesma deixava, facilitado, sobra de coisas, para o meu conseguir. Nossa mãe muito não se demonstrava.

Mandou vir o tio nosso, irmão dela, para auxiliar na fazenda e nos negócios. Mandou vir o mestre, para nós, os meninos. Incumbiu ao padre que um dia se revestisse, em praia de margem, para esconjurar e clamar a nosso pai o dever de desistir da tristonha teima. De outra, por arranjo dela, para medo, vieram os dois soldados. Tudo o que não valeu de nada. Nosso pai passava ao largo, avistado ou diluso, cruzando na canoa, sem deixar ninguém se chegar à pega ou à fala. Mesmo quando foi, não faz muito, dos homens do jornal, que trouxeram a lancha e tencionavam tirar retrato dele, não venceram: nosso pai se desaparecia para a outra banda, aproava a canoa no brejão, de léguas, que há, por entre juncos e mato, e só ele conhecesse, a palmos, a escuridão daquele.

A gente teve de se acostumar com aquilo. Às penas, que, com aquilo, a gente mesmo nunca se acostumou, em si, na verdade. Tiro por mim, que, no que queria, e no que não queria, só com nosso pai me achava: assunto que jogava para trás meus pensamentos. O severo que era, de não se entender, de maneira nenhuma, como ele agüentava. De dia e de noite, com sol ou aguaceiros, calor, sereno, e nas friagens terríveis de meio-do-ano, sem arrumo, só com o chapéu velho na cabeça, por todas as semanas, e meses, e os anos — sem fazer conta do se-ir do viver. Não pojava em nenhuma das duas beiras, nem nas ilhas e croas do rio, não pisou mais em chão nem capim. Por certo, ao menos, que, para dormir seu tanto, ele fizesse amarração da canoa, em alguma ponta-de-ilha, no esconso. Mas não armava um foguinho em praia, nem dispunha de sua luz feita, nunca mais riscou um fósforo. O que consumia de comer, era só um quase; mesmo do que a gente depositava, no entre as raízes da gameleira, ou na lapinha de pedra do barranco, ele recolhia pouco, nem o bastável. Não adoecia? E a constante força dos braços, para ter tento na canoa, resistido, mesmo na demasia das enchentes, no subimento, aí quando no lanço da correnteza enorme do rio tudo rola o perigoso, aqueles corpos de bichos mortos e paus-de-árvore descendo — de espanto de esbarro. E nunca falou mais palavra, com pessoa alguma. Nós, também, não falávamos mais nele. Só se pensava. Não, de nosso pai não se podia ter esquecimento; e, se, por um pouco, a gente fazia que esquecia, era só para se despertar de novo, de repente, com a memória, no passo de outros sobressaltos.

Minha irmã se casou; nossa mãe não quis festa. A gente imaginava nele, quando se comia uma comida mais gostosa; assim como, no gasalhado da noite, no desamparo dessas noites de muita chuva, fria, forte, nosso pai só com a mão e uma cabaça para ir esvaziando a canoa da água do temporal. Às vezes, algum conhecido nosso achava que eu ia ficando mais parecido com nosso pai. Mas eu sabia que ele agora virara cabeludo, barbudo, de unhas grandes, mal e magro, ficado preto de sol e dos pêlos, com o aspecto de bicho, conforme quase nu, mesmo dispondo das peças de roupas que a gente de tempos em tempos fornecia.

Nem queria saber de nós; não tinha afeto? Mas, por afeto mesmo, de respeito, sempre que às vezes me louvavam, por causa de algum meu bom procedimento, eu falava: — *"Foi pai que um dia me ensinou a fazer assim..."*; o que não era o certo, exato; mas, que era mentira por verdade. Sendo que, se ele não se lembrava mais, nem queria saber da gente, por que, então, não subia ou descia o rio, para outras paragens, longe, no não-encontrável? Só ele soubesse. Mas minha irmã teve menino, ela mesma entestou que queria mostrar para ele o neto. Viemos, todos, no barranco, foi num dia bonito, minha irmã de vestido branco, que tinha sido o do casamento, ela erguia nos braços a criancinha, o marido dela segurou, para defender os dois, o guarda-sol. A gente chamou, esperou. Nosso pai não apareceu. Minha irmã chorou, nós todos aí choramos, abraçados.

Minha irmã se mudou, com o marido, para longe daqui. Meu irmão resolveu e se foi, para uma cidade. Os tempos mudavam, no devagar depressa dos tempos. Nossa mãe terminou indo também, de uma vez, residir com minha irmã, ela estava envelhecida.

Eu fiquei aqui, de resto. Eu nunca podia querer me casar. Eu permaneci, com as bagagens da vida. Nosso pai carecia de mim, eu sei — na vagação, no rio no ermo — sem dar razão de seu feito. Seja que, quando eu quis mesmo saber, e firme indaguei, me diz-que-disseram: que constava que nosso pai, alguma vez, tivesse revelado a explicação, ao homem que para ele aprontara a canoa. Mas, agora, esse homem já tinha morrido, ninguém soubesse, fizesse recordação, de nada, mais. Só as falsas conversas, sem senso, como por ocasião, no começo, na vinda das primeiras cheias do rio, com chuvas que não estiavam, todos temeram o fim-do-mundo, diziam: que nosso pai fosse o avisado que nem Noé, que, por tanto, a canoa ele tinha antecipado; pois agora me entrelembro. Meu pai, eu não podia malsinar. E apontavam já em mim uns primeiros cabelos brancos.

Sou homem de tristes palavras. De que era que eu tinha tanta, tanta culpa? Se o meu pai, sempre fazendo ausência: e o rio-rio-rio, o rio — pondo perpétuo. Eu sofria já o começo de velhice — esta vida era só o demoramento. Eu mesmo tinha achaques, ânsias, cá de baixo, cansaços, perrenguice de reumatismo. E ele? Por quê? Devia de padecer demais. De tão idoso, não ia, mais dia menos dia, fraquejar do vigor, deixar que a canoa emborcasse, ou que bubuiasse sem pulso, na levada do rio, para se despenhar horas abaixo, em tororoma e no tombo da cachoeira, brava, com o fervimento e morte. Apertava o coração. Ele estava lá, sem a minha tranqüilidade. Sou o culpado do que nem sei, de dor em aberto, no meu foro. Soubesse — se as coisas fossem outras. Eu fui tomando idéia.

Sem fazer véspera. Sou doido? Não. Na nossa casa, a palavra *doido* não se falava, nunca mais se falou, os anos todos, não se condenava ninguém de doido. Ninguém é doido. Ou, então, todos. Só fiz, que fui lá. Com um lenço, para o aceno ser mais. Eu estava muito no meu sentido. Esperei. Ao por fim, ele apareceu, aí e lá, o vulto. Estava ali, sentado à popa. Estava ali, de grito. Chamei, umas quantas vezes. E falei, o que me urgia, jurado e declarado, tive que reforçar a voz: — *"Pai, o senhor está velho, já fez o seu tanto... Agora, o senhor vem, não carece mais... O senhor vem, e eu, agora mesmo, quando que seja, a ambas vontades, eu tomo o seu lugar, do senhor, na canoa!...*" E, assim dizendo, meu coração bateu no compasso do mais certo.

Ele me escutou. Ficou em pé. Manejou remo n'água, proava para cá, concordado. E eu tremi, profundo, de repente: porque, antes, ele tinha levantado o braço e feito um saudar de gesto — o primeiro, depois de tamanhos anos decorridos! E eu não podia... Por pavor, arrepiados os cabelos, corri, fugi, me tirei de lá, num procedimento desatinado. Porquanto que ele me pareceu vir: da parte de além. E estou pedindo, pedindo, pedindo um perdão.

Sofri o grave frio dos medos, adoeci. Sei que ninguém soube mais dele. Sou homem, depois desse falimento? Sou o que não foi, o que vai ficar calado. Sei que agora é tarde, e temo abreviar com a vida, nos rasos do mundo. Mas, então, ao menos, que, no artigo da morte, peguem em mim, e me depositem também numa canoinha de nada, nessa água, que não pára, de longas beiras: e, eu, rio abaixo, rio a fora, rio a dentro — o rio.

Pirlimpsiquice

AQUILO NA NOITE DO NOSSO TEATRINHO FOI DE OH. O estilo espavorido. Ao que sei, que se saiba, ninguém soube sozinho direito o que houve. Ainda, hoje adiante, anos, a gente se lembra: mas, mais do repente que da desordem, e menos da desordem do que do rumor. Depois, os padres falaram em pôr fim a festas dessas, no Colégio. Quem nada podia mesmo explicar, o ensaiador, Dr. Perdigão, lente de corografia e história-pátria, voltou para seu lugar, sua terra; se vive, estará lá já após de velho. E o em-diabo pretinho Alfeu, corcunda? Astramiro, agora aeroviário, e o Joaquincas — *bookmaker* e adjazidas atividades — com ambos raro em raro me encontro, os fatos recordam-se. A peça ia ser o drama *"Os Filhos do Doutor Famoso"*, só em cinco atos. Tivemos culpa de seu indesfecho, os escolhidos para o representar? Às vezes penso. Às vezes, não. Desde a hora em que, logo num recreio de depois do almoço, o regente Seu Siqueira, o *Surubim*, sisudo de mistérios, veio chamar-nos para a grande novidade, o pacto de puro entusiasmo nosso avançara, sem sustar-se. Éramos onze, digo, doze.

Atordoados, pois. O padre Prefeito, solene modo, fez-nos a comunicação. Donde, com o Dr. Perdigão ali ao lado, rezou-se o padre-nosso e três ave-marias, às luzes do Espírito. Aí, o Dr. Perdigão, que empunhava o livro, discursou um resumo, para os corações da gente, à toda. Então, cada um teve de ler do texto alguma passagem, extraindo de si a melhor bonita voz, que pudesse;

leu-se desabaladamente. Só o Zé Boné não se acanhou de o pior, e promoveu risos, de preenchido beócio, que era. Quando o Dr. Perdigão nos despachou, lembramo-nos de que na turma estavam de mal os dois mais decididos e respeitados — Ataualpa, que ia ser o *Doutor Famoso*, e o Darcy, o *Filho Capitão*. Mas os mesmos conviram logo em precisar pazes, sem o caso de a gente bem-oficiar se oferecendo de permeio. Tocaram de bem, dando ainda o Ataualpa ao Darcy um selo do Transvaal, e o Darcy a Ataualpa um da Tasmânia ou da China. Em seguida, eles, de chefes, nos sobreolharam, e pegaram com ordens: — *"Ninguém conta nada aos outros, do drama!"* Concordados, combinou-se, juramos. Careciam-se uns momentos, para a grandiosa alegria se ajustar nos cantos das nossas cabeças. A não ser o Zé Boné, decerto.

Zé Boné, com efeito, regulava de papalvo. Sem fazer conta de companhia ou conversas, varava os recreios reproduzindo fitas de cinema: corria e pulava, à celerada, cá e lá, fingia galopes, tiros disparava, assaltava a mala-posta, intimando e pondo mãos ao alto, e beijava afinal — figurado a um tempo de mocinho, moça, bandidos e xerife. Dele, bem, se ria. O basbaque. Mesmo assim, acharam que para o teatro ele me passava; decidindo o padre Prefeito e o Dr. Perdigão que, por retraído e mal-à-vontade, em qualquer cena eu não servisse. Não fosse o padre Diretor, de bom acaso vindo entrando, declarar que, aluno aplicado, e com voz variada, certa, de recitador, eu podia no vantajoso ser o "ponto". Sorri de os outros comigo, amigos, mexerem. Joaquincas, o que era para personificar o *Filho Padre*, me deu duas marcas novas de cigarros, e eu a ele uma prata de quinhentos-réis e o meio pão que estava guardando na algibeira. Aí, o Darcy e Ataualpa, arranjada coragem, alegaram não caber Zé Boné com as prestes obrigações. Mas o padre Prefeito repreendeu-nos a soberba, tanto quanto que o papel que a Zé Boné tocava, de *um policial*, se versava dos mais simples, com escasso falar. Adiantou nada o Araujinho, servindo de o *outro policial*, fazer a cara amargosa: acabou-se a opinião da questão. Não que Zé Boné à gente não enchesse — de inquietas cautelas. O segredo ia ele poder guardar?

Aí, mais, teve-se dúvida. Se os outros alunos se embolassem, para à força quererem fazer a gente contar a estória do drama?

Dois deles preocupavam-nos, fortes, dos maiores dos internos, não pegados para o teatrinho por mal-comportados incorrigíveis! Tãozão e o Mão-na-Lata, centerfór do nosso time. E um, cá, teve a idéia. Precisávamos de imaginar, depressa, alguma outra estória, mais inventada, que íamos falsamente contar, embaindo os demais no engano. E, de Zé Boné, ficasse sempre perto um, tomando conta.

Sem razão, se vendo, essas cismas. Zé Boné nada de nada contava. Nem na estória do drama botava sentido, a não ser a alguma facécia ou peripécia, logo e mal encartadas em suas fitas de cinema; pois, enquanto recreios houvesse, continuava ele descrevivendo-as, com aquela valentia e o ágil não-se-cansar, espantantes. E o Tãozão e Mão-na-Lata no assunto do teatro nem tocavam, fingindo decerto não dar a tanta importância. Mas, a outra estória, por nós tramada, prosseguia, aumentava, nunca terminava, com singulares-em-extraordinários episódios, que um ou outro vinha e propunha: o "fuzilado", o "trem de duelo", a máscara: "fuça de cachorro", e, principalmente, o "estouro da bomba". Ouviam, gostavam, exigiam mais. Até o pretinho Alfeu, filho da cozinheira, e aleijado, voltava se arrastando com rapidez para a escutar, enquanto o *Surubim* não o via e mandava embora. Já, entre nós, era a "nossa estória", que, às vezes, chegávamos a preferir à outra, a "estória de verdade", do drama. O qual, porém, por meu orgulho de "ponto", pusera eu afinco em logo reter, tintim de cor por tintim e salteado. Descontentava-me, só, na noite do dia, dever ficar encoberto do público, debaixo daquela caixa ou cumbuca, que por ora ainda não se tinha, nos ensaios.

— *"Representar é aprender a viver além dos levianos sentimentos, na verdadeira dignidade"* — exortava-nos o Dr. Perdigão, sobre suas sérias barbas. Ataualpa — o "Peitudo" — e Darcy — o "Pintado" — determinavam se acabasse, em hora, com essa tolice de apelidos. Umas donas estariam costurando as roupas que íamos revestir, os fraques do *Doutor Famoso* e do *Amigo*, a batina do *Filho Padre*, a farda do *Filho Capitão*, só trajes. Alvitrou-se senha de nos tratarmos só pelos nomes em drama: Mesquita o "Filho Poeta", Rutz o "Amigo", Gil o "Homem que sabia o segredo", Nuno o "Delegado". O Dr. Perdigão dirimia os embaraços: em vez de o

"Criado", o Niboca chamar-se-ia melhor o "Fâmulo", Astramiro o "Redimido", e não o "Filho Criminoso"; eu, o "Mestre do Ponto". — *"Lembrem-se: circunspecção e majestade..."* proferia o Dr. avante — ... e: *"Longa é a arte e breve a vida... — um preconício dos gregos!"* Inquietávamo-nos, não fossem destituir-nos daquele sonho. Íamos proceder muito bem, até o dia da festa, não fumar escondido, não conversar nas filas, esquivar o mínimo pito, dar atenção nas aulas. Os que não éramos "Filhos de Maria", impetrávamos fazer parte. Joaquincas comungava a diário, via-se mesmo só ideal, já padre e santo. Todas as tardes, a partir do recreio de depois do jantar, subia-se para o ensaio, demorado, livrando-nos dos estudos da noite sob o duplo olhar do *Surubim*; essa vantagem, também, os outros nos invejavam. — *"Sus! Brio! Obstinemo-nos. Decoro e firmeza.* Ad astra per aspera! *Sempre dúcteis ao meu ensinamento..."* — o Dr. Perdigão observando. Suspirávamos pelo perfeito, o estricto jogo de cena a atormentar-nos. Menos ao Zé Boné, decerto. Esse, entrava marchando, fazia continências, mas não havendo maneira de emendar palavra e meia palavra. E já o dia vindo próximo, nem mais duas semanas. Por que não o trocar, ao estafermo? Não o Dr. Perdigão: — *"Senhores discípulos meus, para persistir no prepará-los, a perseverança não me desfalece!"* Zé Boné, do tom, tirava algum entender, empinava-se inconfuso e contente. Ah, seu "ensino", à rija, à vera, seria para ele nos pagar. Não por enquanto. Só se ansiava. Sempre juntos, no notável, relegados os planos para as férias, e mesmo só por alto lembrado o afã do futebol.

Se não os tempos e contratempos. Troçavam de nós, os outros? Citando, com ares, o que não entendíamos, nem. Diziam já saber a verdadeira estória do drama, e que não passávamos de impostores. De fato, circulava outra versão, completa, e por sinal bem aprontada, mas de todo mentirosa. Quem a espalhara? O Gamboa, engraçado, de muita inventiva e lábia, que afirmava, pés juntos, estar dono da verdade. O cume de cachorro! Nele, passada a festa, jurou-se também uma sova. Por ora, porém, tínhamos de combater essa estória do Gamboa, que nos deixava humilhados. Repetíamos, então, sem cessar, a *nossa estória*, com forte cunho de sinceridade. Sempre ficavam os partidários de uma e de outra, não raro bandeando campo, vez por vez, por dia. Tãozão e Mão-na-Lata chefiavam o grupo dos Gamboas?

— *"Entreguemo-nos à suma justiça do Onipotente..."* — proferia o Joaquincas. — *"Uma tana! Sento o braço!"* — o Darcy rugia, ou o Ataualpa. Mas: — *"... O réprobo, o ímprobo, que me malsina os dias..."* — já, vai vago, desembestando. O *Surubim* dizia que o nosso teatro roubava ao ensino, e que não era verdade que, nas provas, iríamos ganhar boas notas de qualquer maneira. Possível? Mão-na-Lata estava combinando outro time, porque a gente mal treinava; misérias! Para ver se Zé Boné enfiava juízo, valia não o deixar dar mais seu cinema? E, pronto, certas cenas do drama, legítimas, estavam sendo divulgadas. Haveria entre nós um traidor? Não. Descobriu-se: o Alfeu. O gebo, pernas tresentortadas e moles, quase de não andar direito, mas o capaz de deslizar ligeiro por corredores e escadas, feito uma cobra; e que vinha escutar os ensaios, detrás das portas! Só que, no Alfeu, mesmo pós-festa, não se podia meter o braço: ele furtava, para a gente, pão, doces, chocolate, coisas da cozinha dos padres. Tínhamos de alugar-lhe o silêncio? Tudo, felizmente, por três dias. Já o Dr. Perdigão, desistido de introduzir no Zé Boné sua parte, intimara-o a representar de mudo, apenas, proibido de abrir a boca em palco. Doía-me um dente, podia inchar a cara; ou não, não doía? Tudo por dois dias, só. Tãozão e Mão-na-Lata, o que ameaçavam? Tudo por dia e meio, pela véspera. Pelo que, fremia-se e ardia-se. Sendo, nessa véspera, o nosso ensaio geral.

— *"Sus e eia! Abroquelemo-nos..."* O Dr. Perdigão se passeava levemente. Saía-nos o ensaio geral em brilho e pompa, todos na ponta da língua seus papéis — para meu desgosto. Não iam precisar de ponto? Nisso, porém, sobreveio-nos o trom de Júpiter. O padre Diretor assistira ao quinto ato. Ele era abstrato e sério: não via a quem. Sem realces, disse: que nós estávamos certos, mas acertados demais, sem ataque de vida válida, sem a própria naturalidade pronta... Despejou conosco, tontos de consternados. E já na noite tão tarde. Do nosso Dr. Perdigão, empalidecendo até a barba: — *"Senhores meus alunos... Ad augusta per angusta..."* — ele se gemeu. — *"Durmamos..."*

E quem disse que, no outro dia, seguinte, domingo — o dia! — íamos tornar a ensaiar, ensaiar, ensaiar, senhor, mas — com os rebuliços, as horas curtas, poucas: a missa demorada, a gente ganhando pão-de-mel e biscoitos no café, tendo-se de ajudar a arrumar o teatro, a caixa-do-ponto verde, repintada fresca, as muitas moças e senhoras aparecidas, chegadas as roupas nossas teatrais, novinhas nos embrulhos, enquanto se dizia que Tãozão e o Mão-na-Lata estavam reunindo uns, que iam amassar a gente, armar baderna de briga, e chegando visitas, pais, parentes, de fora, para assistir, corriam o Colégio, se dizendo agora que o pessoal de Tãozão e Mão-na-Lata, os Gamboas, iam dar na gente a tremenda vaia! — e o Dr. Perdigão de repente doente, de fígado, cólicas, a gente com medo que a festa pudesse não haver, e traziam também os programas prontos do nosso teatro, até o Alfeu vestido de roupa nova, marinheiro, a mãe dele fazia-o hoje andar com as muletas, e o Dr. Perdigão já sarado, levantado, suas sumas pretas barbas, de tarde, o jantar cedo, garrafa de soda-limonada, e galinha, pastéis, sobremesa de dois doces, nem pude, pois, que era que vinha vindo, direto para dizer, o *Surubim*, satisfeito, bem eu tinha temido caiporismos de última hora, passado o dia inteiro assim, de orelha com a pulga atrás?

Silêncio. O *Surubim* vinha para o Ataualpa. Estava na portaria o tio do Ataualpa — o pai do Ataualpa era deputado, estava à morte, no Rio de Janeiro. Ataualpa tinha de viajar, de trem, daqui a duas horas. E o teatro, o espetáculo? Ataualpa já ia, com o *Surubim*, mudar de roupa, arrumar a mala. Mas, o teatro era para impossível de não haver, era em benefício. E... Só quem podia ser, em vez do Ataualpa, quem sabia decorados todos os papéis, o *Doutor Famoso:* eu! Ah, e o "ponto"? Dúvida não dúvida: o ponto seria, ótimo, o Dr. Perdigão, sendo. Se disse, se fez.

O contentamento — o medo. O fraque? O povo. O — ali, quem meio escondido, me cutucando — o Alfeu! — *"Quer um gole?..."* — do que ele tinha furtado: uma garrafa de genebra, da adega dos padres — falava que era para dar mais alma de coragem. Eu não quis. E os outros? Zé Boné? O Alfeu não sorria: sibilava. Eu não queria saber dos outros, já estavam me vestindo, o fraque só ficava um pouquinho largo, de nada. Os outros também não deviam de gostar das senhoras e moças passando carmins na cara da gente, o que não era de homem! — e repintando-nos os olhos. E a hora enorme. O teatro, imensamente, a platéia: — *"Ninguém mais cabe!"* — o povoréu de cabeças, estrondos de gente entrando e se sentando, rumor, rumor, oh as luzes. O Dr. Perdigão, de fraque também: — *"Excélsior!"* — meio desanimado. Não era o monte de momento, sim, não. Era a hora na hora. Parecia que nos empurravam — para o de todo sem propósito. Me punham para a frente. Só ouvi as luzes, risos, avistei demais. O silêncio.

Eu estava ali, parado, em pé, de fraque, a beira-mundo do público, defronte. E, que queriam de mim, que esperavam? Atrás, os companheiros tocando-me; isto era hora para piparotes? E oh! — súbito a súbitas, eu reconhecia na platéia, tão enchida, todos, em cada um seu lugar: Tãozão, o Mão-na-Lata, o Gamboa, o Surubim, o Alfeu, o padre Diretor... oh! — e tinha-me lembrado da terrível coisa, meu-deus, então ninguém não tinha pensado nisso, antes? Porque, aquele arranjo de todos nós no palco, vindos ao proscênio, eu adiante, era conforme o escrito no programa: o Ataualpa, primeiro, devia recitar uns versos, que falavam na Virgem Padroeira e na Pátria. Mas, esses versos, eu não sabia! Só o Ataualpa sabia-os, e Ataualpa estava longe, agora, viajando com o tio, de trem, o pai dele à morte... Eu, não. Eu: teso e bambo, no embondo, mal em suor frio e quente, não tendo dá-me-dá, gago de êêê, no sem-jeito, só espanto.

O minuto parou. Riam, diante de mim, aos milhares. De lá, da fila dos padres, faziam-me gestos: de ordens e de perguntatividades, danados sinais, explicavam-me o que eu já sabia que não sabia, não podia. Sacudi que não, puxei para fora os bolsos, para demonstrar que não tinha os versos. Instavam-me. — *"Abaixem o pano!"* — escutei a voz do padre Prefeito. O Dr. Perdigão, em seu bobo buraco, rapava goela. Tornei a não olhar; falei alto. Gritei, tremulei, tão então: — *"Viva a Virgem e viva a Pátria!"* — gritei.

Ressoaram enormes aplausos. — *"Abaixem o pano!"* — era ainda o padre Prefeito, no bastidor. Porque, agora, era mesmo a hora, para ficarmos no palco só o *Doutor Famoso* e seus quatro *Filhos*, daí o pano tornava a subir, para abrir a primeira cena do drama. — *"... o pano!"* Mas o pano não desceu, estava decerto enguiçado; não desceu, nunca. Com confusão. Os que tinham de sair de cena, não saíam. Tornamos a avançar, todos, sem pau nem pedra, em fila, feito soldados, apalermados. E, aí, veio a vaia. Estrondou...

A vaia, que ninguém imaginava. O que era um mar — patuléia, todos em mios, zurros, urros, assovios: pateada. A gente, nada. Ali, formados, soldados mesmos, mudando de cor, de amargor. — *"Atenção! Submetam-se!"* — mas nem os padres àquilo não podiam pôr cobro? Por um pouco, o Dr. Perdigão ia se surgir de lá, da caixa, mas não venceu, e se botou abaixo. A gente, firmes, sem mover o passo, enquanto a vaia se surriava. A vaia parou. A vaia recomeçou. Agüentávamos. — *"Zé Boné! Zé Boné!"* — aqueles gritavam também, depois de durante, dessa vaia, ou em intervalos. — *"Zé Boné!..."* Foi a conta.

Zé Boné pulou para diante, Zé Boné pulou de lado. Mas não era de faroeste, nem em estouvamento de estrepolias. Zé Boné começou a representar!

A vaia parou, total.

Zé Boné representava — de rijo e bem, certo, a fio, atilado — para toda a admiração. Ele desempenhava um importante papel, o qual a gente não sabia qual. Mas, não se podia romper em riso. Em verdade. Ele recitava com muita existência. De repente, se viu: em parte, o que ele representava, era da *estória do Gamboa!* Ressoaram as muitas palmas.

O pasmatório. Num instante, quente, tomei vergonha; acho que os outros também. Isso não podia, assim! Contracenamos. Começávamos, todos, de uma vez, a representar *a nossa* inventada *estória*. Zé Boné também. A coisa que aconteceu no meio da hora. Foi no ímpeto da glória — foi — sem combinação. Ressoaram outras muitas palmas.

A princípio, um disparate — as desatinadas pataratas, nem que jogo de adivinhas. Dr. Perdigão se soprava alto, em bafo, suas réplicas e deixas, destemperadas. Delas, só a pouca parte se aproveitava. O mais eram ligeirias — e solertes seriedades. Palavras de outro ar. Eu mesmo não sabia o que ia dizer, dizendo, e dito — tudo tão bem — sem sair do tom. Sei, de, mais tarde, me dizerem: que tudo tinha e tomava o forte, belo sentido, esse drama do agora, desconhecido, estúrdio, de todos o mais bonito, que nunca houve, ninguém escreveu, não se podendo representar outra vez, e nunca mais. Eu via os do público assungados, gostando, só no silêncio completo. Eu via — que a gente era outros — cada um de nós, transformado. O Dr. Perdigão devia de estar soterrado, desmaiado em sua correta caixa-do-ponto.

Gritavam bis o *Surubim* e o Alfeu. Até o padre Diretor se riu, como ri Papai Noel. Ah, a gente: protagonistas, outros atores, as figurantes figuras, mas personagens personificantes. Assim perpassando, com a de nunca naturalidade, entrante própria, a valente vida, estrepuxada. Zé Boné, sendo o melhor de todos? Ora, era. Ei. E. Fulge, forte, Zé Boné! — freme a representação. O sucesso, que vindo não se sabe donde e como; alguém me disse, que estava lá; jurou como foi.

Mas — de repente — eu temi? A meio, a medo, acordava, e daquele estro estrambótico. O que: aquilo nunca parava, não tinha começo nem fim? Não havia tempo decorrido. E como ajuizado terminar, então? Precisava. E fiz uma força, comigo, para me soltar do encantamento. Não podia, não me conseguia — para fora do corrido, contínuo, do incessar. Sempre batiam, um ror, novas palmas. Entendi. Cada um de nós se esquecera de seu mesmo, e estávamos transvivendo, sobrecrentes, disto: que era o verdadeiro viver? E era bom demais, bonito — o milmaravilhoso — a gente voava, num amor, nas palavras: no que se ouvia dos outros e no nosso próprio falar. E como terminar?

Então, querendo e não querendo, e não podendo, senti: que — só de um jeito. Só uma maneira de interromper, só a maneira de sair — do fio, do rio, da roda, do representar sem fim. Cheguei para a frente, falando sempre, para a beira da beirada. Ainda olhei, antes. Tremeluzi. Dei a cambalhota. De propósito, me despenquei. E caí.

E, me parece, o mundo se acabou.

Ao menos, o daquela noite. Depois, no outro dia, eu são, e glorioso, no recreio, então o Gamboa veio, falou assim: — *"Eh, eh, hem? Viu como era que a minha estória também era a de verdade?"* Pulou-se, ferramos fera briga.

Nenhum, nenhuma

DENTRO DA CASA-DE-FAZENDA, ACHADA, AO ACASO DE outras várias e recomeçadas distâncias, passaram-se e passam-se, na retentiva da gente, irreversos grandes fatos — reflexos, relâmpagos, lampejos — pesados em obscuridade. A mansão, estranha, fugindo, atrás de serras e serras, sempre, e à beira da mata de algum rio, que proíbe o imaginar. Ou talvez não tenha sido numa fazenda, nem do indescoberto rumo, nem tão longe? Não é possível saber-se, nunca mais.

Mas um menino penetrara no quarto, no extremo da varanda, onde se achava um homem sem aparência, se bem que, por certo, como curiosamente se diz, já "entrado em anos"; ele devia de ser o dono de lá. E naquele quarto — que, de acordo com o que se verifica, em geral, na região, nos casarões-de-fazenda com alta e comprida varanda, seria o "escritório", — há era uma data. O menino não sabia ler, mas é como se a estivesse relendo, numa revista, no colorido de suas figuras; no cheiro delas, igualmente. Porque, o mais vivaz, persistente, e que fixa na evocação da gente o restante, é o da mesa, da escrivaninha, vermelha, da gaveta, sua madeira, matéria rica de qualidade: o cheiro, do qual *nunca mais houve*. O homem sem aspecto tenta agora parecer-se com outro — um desses velhos tios ou conhecidos nossos, deles o mais silencioso. Mas, segundo se apurou, não era. Alguém, apenas, chamara-o, na ocasião, de nome com aproximada assonância; e os dois, o ignorado e o sabido, se perturbam. Alguém mais, pois, ali entrara? A

Moça, imagem. A Moça é então que reaparece, linda e recôndita. A lembrança em torno dessa Moça raia uma tão extraordinária, maravilhosa luz, *que, se algum dia eu encontrar, aqui, o que está por trás da palavra "paz", ter-me-á sido dado também através dela.* Na verdade, a data não poderia ser aquela. Se diversa, entretanto, impôs-se, por trocamento, no jogo da memória, por maior causa. Foi a Moça quem enunciou, com a voz que assim nascia sem pretexto, que a data era a de 1914? E para sempre a voz da Moça retificava-a.

Tudo não demorou calado, tão fundamente, não existindo, enquanto viviam as pessoas capazes, quem sabe, de esclarecer onde estava e por onde andou o Menino, naqueles remotos, já peremptos anos? Só agora é que assoma, muito lento, o difícil clarão reminiscente, ao termo talvez de longuíssima viagem, vindo ferir-lhe a consciência. Só não chegam até nós, de outro modo, as estrelas.

Ultramuito, porém, houve o que há, por aquela parte, até aonde o luar do meu mais-longe, o que certifico e sei. A casa — rústica ou solarenga — sem história visível, só por sombras, tintas surdas: a janela parapeitada, o patamar da escadaria, as vazias tarimbas dos escravos, o tumulto do gado? *Se eu conseguir recordar, ganharei calma, se conseguisse religar-me: adivinhar o verdadeiro e real, já havido.* Infância é coisa, coisa?

A Moça e o Moço, quando entre si, passavam-se um embebido olhar, diferente do dos outros; e radiava em ambos um modo igual, parecido. Eles olhavam um para o outro como os passarinhos ouvidos de repente a cantar, as árvores pé-ante-pé, as nuvens desconcertadas: como do assoprado das cinzas a esplendição das brasas. Eles se olhavam para não-distância, estiadamente, sem saberes, sem caso. Mas a Moça estava devagar. Mas o Moço estava ansioso. O Menino, sempre lá perto, tinha de procurar-lhes os olhos. *Na própria precisão com que outras passagens lembradas se oferecem, de entre impressões confusas, talvez se agite a maligna astúcia da porção escura de nós mesmos, que tenta incompreensivelmente enganar-nos, ou, pelo menos, retardar que perscrutemos qualquer verdade.* Mas o menino queria que os dois nunca deixassem de assim se olhar. Nenhuns olhos têm fundo; a vida, também, não.

Àquela casa, como e por que viera ter o Menino? Talvez, em desviada viagem, sem pessoas da família. Sua estada esperara-se para mais curta, do que foi? Porque, primeiro, todos pensavam esconder-lhe o que havia num determinado quarto, e mesmo o passo do corredor para onde dava aquele quarto. *A dúvida que isso marcou, no Menino, ajuda-o agora a muito se lembrar.* A Moça, porém, era a mais formosa criatura que jamais foi vista, e não há fim de sua beleza. Ela poderia ser a princesa no castelo, na torre. Em redor da altura da torre do castelo, não deviam de revoar as negras águias? O Homem, velho, quieto e sem falar, seria, na realidade, o pai da Moça. O Homem concordava com todos, sem tristezas se calava? *As nuvens são para não serem vistas. Mesmo um menino sabe, às vezes, desconfiar do estreito caminhozinho por onde a gente tem de ir — beirando entre a paz e a angústia.*

Depois, porém, porque mudassem de idéia, ou porque o Menino tivesse de sojornar lá por mais tempo, deixaram-no saber o que dentro daquele dito quarto se guardava. Deixaram-no ver. E, o que havia ali, era uma mulher. Era uma velha, uma velhinha — de história, de estória — velhíssima, a inacreditável. Tanto, tanto, que ela se encolhera, encurtara-se, pequenina como uma criança, toda enrugadinha, desbotada: não caminharia, nem ficava em pé, e quase não dava acordo de coisa nenhuma, perdida a claridade do juízo. Não sabiam mais quem ela era, tresbisavó de quem, nem de que idade, incomputada, incalculável, vinda através de gerações, sem ninguém, só ainda da mesma nossa espécie e figura. Caso imemorial, apenas com a incerta noção de que fosse parenta deles. Ela não poderia mais ser comparada. A Moça, com amor, tratava dela.

Tênue, tênue, tem de insistir-se o esforço para algo remembrar, da chuva que caía, da planta que crescia, *retrocedidamente, por espaço,* os castiçais, os baús, arcas, canastras, *na tenebrosidade, a gris pantalha,* o oratório, registros de santos, *como se um pedaço de renda antiga, que se desfaz ao se desdobrar,* os cheiros *nunca mais respirados, suspensas florestas,* o porta-retratos de cristal, *floresta e olhos, ilhas que se brancas,* as vozes das pessoas, *extrair e reter, revolver em mim, trazer a foco* as altas camas de torneado, um catre com cabeceira dourada; *talvez as coisas mais ajudando, as coisas, que mais perduram:*

o comprido espeto de ferro, na mão da preta, o batedor de chocolate, de jacarandá, na prateleira com alguidares, pichorras, canecos de estanho. O Menino, assustando-se, correra a refugiar-se na cozinha, escura e imensa, onde mulheres de grossos pés e pernas riam e falavam.

A Moça e o Moço vieram buscá-lo? O Moço causava-lhe antipatia e rancor, dele já tinha ciúmes. A Moça, de formosura tão extremada, vestida de preto, e ela era alta, alva, alva; parecia estar de madrinha num casamento, ou num teatro? Ela carregou o Menino, cheirava a vem de verde e a rosa, mais meigo que as rosas cheiram, mais grave. O Moço ria, exato. Tranqüilizavam-no, diziam: que a velhinha não era a Morte, não. Nem estava morta. *Antes, era a vida. Ali, num só ser, a vida vibrava em silêncio, dentro de si, intrínseca, só o coração, o espírito da vida, que esperava. Aquela mulher ainda existir, parecia um desatino de que ela mesma nem tivesse culpa.* Mas o Moço não ria mais. Lá estava também o Homem calado, de costas, mesmo de pé ele rezava o terço, num rosário de pretas camáldulas.

Diziam ao Menino, demonstravam-lhe: que a Velhinha não era sombração, mas sim pessoa. Sem que lhe soubessem o verdadeiro nome, chamavam-na a "Nenha". Ela ficava tão quieta, no meio da alta cama de torneados, o catre com cabeceira dourada, que ali quase se sumia, nos panos, algo inviolável em sua exigüidade, e respirava. Era cor de cidra, em todas as rugazinhas — e os olhos abertos, garços. O que ela não tinha era pálpebras? Todavia, um trêmito, uma babinha, no murcho, a boca, e era o docemente incompreensível. O Menino sorriu. Perguntou: — *"Ela beladormeceu?"* A Moça beijou-o. A vida era o vento querendo apagar uma lamparina. O caminhar das sombras de uma pessoa imóvel.

A Moça não queria que coisa alguma acontecesse. A Moça tinha um leque? O Moço conjurava-a, suspensos olhos. A Moça disse ao Moço: — *"Você ainda não sabe sofrer..."* — e ela tremia como os ares azuis. *Tenho de me lembrar. O passado é que veio a mim, como uma nuvem, vem para ser reconhecido: apenas, não estou sabendo decifrá-lo.* Estava-se no grande jardim. Para lá, tinham trazido também a Nenha, velhinha.

Traziam-na, para tomar sol, acomodadinha num cesto, que parecia um berço. Tão galante, tudo, que o Menino de repente se esqueceu e precipitou-se: queria brincar com ela! A Moça impediu-o apenas com brandura, sem o repreender, ela lá se sentava, entre madressilvas e rosmaninhos, insubstituível. Olhava para a Nenha, extremosamente, de delonga, pelo curso dos anos, pelos diferentes tempos, ela também menina ancianíssima. Recobrira-a com um xale antigo, da Velhinha não se viam as mãos. Só o engraçadinho, pueril acondicionamento, o sorno impalpar-se, amável ridicularia. Davam-lhe à boca comidinha mole. Tornavam-lhe às vezes, uns sorrisinhos, um tanger de tosse, chegava a falar — e escassamente podia ser entendida — no semi-sussurro mais discreto que o bater da borboletinha branca. A Moça adivinhava-a? Pedia água. A Moça trazia a água, vinha com nas duas mãos o copo cheio às beiras, sorrindo igual, sem deixar cair fora uma única gota — a gente pensava que ela devia de ter nascido assim, com aquele copo de água pela borda, e conservá-lo até à hora de desnascer: dele nada se derramasse.

Não, a Nenha não reconhecia ninguém, alheada de fim, só um pensar sem inteligência, imensa omissão, e já condenados segredos — coração imperceptível. *No que vagueia os olhos, contudo, surpreende-se-lhe o imanecer da bem-aventura, transordinária benignidade, o bom fantástico.* O Menino perguntou: — *"Ela agora está cheia de juízo?"* A Moça firmou o olhar, como o luar desassombra. O rumor da tesoura grande podava as roseiras. Era o Homem velho, de pé, de contraluz, homem muito alto. O Moço pegou na mão da Moça, ele estava apaixonado. O Menino se recolheu, olhando para o chão, numa tristeza de amuo.

O Homem velho só queria ver as flores, ficar entre elas, cuidá-las. O Homem velho brincava com as flores. *Cerra-se a névoa, o escurecido, há uma muralha de fadiga. Orientar-me! — como um riachinho, às voltas, que tentasse subir a montanha.* Havia um fio de barbante, que a gente enrolava num pauzinho. A Moça repetia coisas tantas, muito mansas, ao Moço. *Tenho de me recuperar, desdeslembrar-me, excogitar — que sei? — das camadas angustiosas do olvido. Como vivi e mudei, o passado mudou também. Se eu conseguir retomá-lo.* Do que falavam o Moço e a Moça. Do velho Homem, pai dela, desenganadamente doente, para qualquer momento, mortal.

— "E ele já sabe?" — o Moço perguntou. A Moça, com um lenço branco, muito fino, limpava a sumida boca da Nenha, velhinha. — *"Ele sabe. Mas não sabe por quê!"* — ela falou, tinha fechado os olhos, tesa, parada. O Moço se mordeu, um curto. — *"E quem é que sabe? E para que saber por que temos de morrer?* — disse, disse. A Moça, agora, era que pegava na mão dele.

Venho a me lembrar. Quando amadorno. De como fora possível que tão de todo se perdesse a tradição do nome e pessoa daquela Nenha, velhíssima, antepassada, conservada contudo ali, por seu povo de parentes. Alguém, antes de morrer, ainda se lembrava de que não se lembrava: ela seria apenas a mãe de uma outra, de uma outra, de uma outra, para trás. Antes de vir para a fazenda, ela ter-se-ia residido em cidade ou vila, numa certa casa, num Largo, cuidada por umas irmãs solteironas. Mesmo essas, mal contavam. Dera-se que, em tempos, quase todas as antecedentes mulheres da família, de roca e fuso, sucessivamente teriam morrido, quase de uma vez, do mal-de-semana, febre de parto; daí, rompido o conhecimento, os homens se mudando, andara confiada a estranhos a Nenha, velhinha, que durava, visual, além de todas as raias do viver comum e da velhez, mas na perpetuidade. *Então, o fato se dissolve. As lembranças são outras distâncias. Eram coisas que paravam já à beira de um grande sono.* A gente cresce sempre, sem saber para onde.

Trasvisto, sem se sofrear, fechando os dentes, o Moço argüia com a Moça, ela firme e doçura. Ela tinha dito: — *"... esperar, até à hora da morte..."* Soturno, nervoso, o Moço não podia entender, considerar no impeditivo. Porque a Moça explicava: que não a morte do pai, nem da velhinha Nenha, de quem era a tratadeira. Falou: — *"Mas a nossa morte..."* Sobre este ponto, ela sorria — muito — flor, limite de transformação. Obrigara-se por um voto? Não. Mais disse: — *"Se eu, se você gostar de mim... E como saber se é o amor certo, o único? Tanto é o poder errar, nos enganos da vida... Será que você seria capaz de se esquecer de mim, e, assim mesmo, depois e depois, sem saber, sem querer, continuar gostando? Como é que a gente sabe?"* Ouvida a resposta da Moça, o Menino estremeceu, queria que ela não tivesse falado. *Reperdida a remembrança, a representação de tudo se desordena: é uma ponte, ponte, — mas que, a certa hora, se acabou, parece'que. Luta-se com a memória.* Atordoado, o Menino, tornado quase incônscio, como se não fosse ninguém, ou se todos uma pessoa só, uma só vida fossem: ele, a Moça, o Moço, o Homem velho e a Nenha, velhinha — em quem trouxe os olhos.

Vê-se — fechando um pouco os olhos, como a memória pede: o reconhecimento, a lembrança do quadro, se esclarece, se desembaça. Desesperado, o Moço, lívido, ríspido, falava com a Moça, agarrava-se aos varões da grade do jardim. Dissesse: que era um simples homem, são em juízo, para não tentar a Deus, mas para seguir o viver comum, por seus meios, pelos planos caminhos! *Que será, agora, se a Moça não o quiser reter, se ela não concordar?* A Moça, lágrimas em olhos, mas mediante o sorriso, linda já de outra espécie. Ela não concordou. Ela só olhava com enorme amor para o Moço. Então, ele deu-lhe as costas. E a Moça se ajoelhou, curvada para o berço da Nenha, velhinha, e chorava, abraçando-a — ela se abraçava com o incomutável, o imutável. Tanto, de uma vez, ela se separava da gente, que mesmo o Menino não podia querer ficar com ela, consolá-la. O Menino, contra tudo o que sentisse, acompanhou o Moço. O Moço o aceitou, pegou-lhe da mão, juntos caminharam.

O Moço viera com tropeço, apalpando as paredes, como os cegos. E entraram no quarto, ao extremo da varanda, no escritório. Aquela mesa escrivaninha cheirava tão bom, a madeira vermelha, a gaveta, o Menino gostaria de guardar para si a revista, com as figuras coloridas; mas não teve ânimo de pedir. O Moço escreveu o bilhete, era para a Moça, ali o depositou. O que estava nele, não se sabe, nunca mais. Não se viu mais a Moça. O Moço partia, para sempre, torna-viajor, com ele ia também o Menino, de volta a casa. O Moço, com a capa de baeta azul, trazia-o, à frente da sela. Voltaram os olhos, já a distância: do limiar, à porta, só o Homem alto, sem se poder ver-lhe o rosto, desconhecidamente, fazia-lhes ainda sinais de adeus.

A viagem devia de ser longa, com aquele Moço, que falava com o Menino, com ele tratava mão por mão, carecia de selar palavras. Ele, o Moço, disse: — *"Será que posso viver sem dela me esquecer, até à grande hora? Será que em meu coração ela tenha razão?...*" O Menino não respondeu, só pensou, forte: — "*Eu, também!*" Ah, ele tinha ira desse moço, ira de rivalidades. Do Moço, que outras coisas repetia, que ele não queria perceber. Pediu: se podia vir à garupa, em vez de no arção? Ele queria não ficar perto da voz e do coração desse Moço, que ele detestava. *Tem horas em que, de repente, o mundo vira pequenininho, mas noutro de-repente ele já torna a ser demais de grande, outra vez. A gente deve de esperar o terceiro pensamento.* O Moço não falava, agora. Falido, ido, noutro confusamento, ele rompeu a chorar. Pouco a pouco, o Menino, devagarinho, chorava, também, o cavalo soprava. O Menino sentia: que, se, de um jeito, fosse ele poder gostar, por querer, desse moço, então, de algum modo, era como se ele ficasse mais perto da Moça, tão linda, tão longe, para sempre, na soledade. Daí, viu-se em casa. Chegara.

Nunca mais soube nada do Moço, nem quem era, vindo junto comigo. Reparei em meu pai, que tinha bigodes. Meu pai, estava dando ordens a dois homens, que era para levantarem o muro novo, no quintal. Minha Mãe me beijou, queria saber notícias de muita gente, olhava se eu não rasgara minha roupa, se tinha ainda no pescoço, sem perder nenhum, os santos de todas as medalhinhas.

E eu precisei de fazer alguma coisa, de mim, chorei e gritei, a eles dois: — "*Vocês não sabem de nada, de nada, ouviram?! Vocês já se esqueceram de tudo o que, algum dia, sabiam!...*"

E eles abaixaram as cabeças, figuro que estremeceram.

Porque eu desconheci meus Pais — eram-me tão estranhos; jamais poderia verdadeiramente conhecê-los, eu; eu?

Fatalidade

Foi o caso que um homenzinho, recém-aparecido na cidade, veio à casa do Meu Amigo, por questão de vida e morte, pedir providências. Meu Amigo sendo de vasto saber e pensar, poeta, professor, ex-sargento de cavalaria e delegado de polícia. Por tudo, talvez, costumava afirmar: — *"A vida de um ser humano, entre outros seres humanos, é impossível. O que vemos, é apenas milagre; salvo melhor raciocínio."* Meu Amigo sendo fatalista.

Na data e hora, estava-se em seu fundo de quintal, exercitando ao alvo, com carabinas e revólveres, revezadamente. Meu Amigo, a bom seguro que, no mundo, ninguém, jamais, atirou quanto ele tão bem — no agudo da pontaria e rapidez em sacar arma; gastava nisso, por dia, caixas de balas. Estava justamente especulando: — *"Só quem entendia de tudo eram os gregos. A vida tem poucas possibilidades."* Fatalista como uma louça, o Meu Amigo. Sucedeu nesse comenos que o vieram chamar, que o homenzinho o procurava.

O qual, vendo-se que caipira, ar e traje. Dava-se de entre vinte-e-muitos e trinta anos; devia de ter bem menos, portanto. Miúdo, moído. Mas concreto como uma anta, e carregado o rosto, gravado, tão submetido, o coitado; as mãos calosas, de enxadachim. Meu Amigo, mandando-lhe sentar e esperar, continuou, baixo, a conversa; fio que, apenas, para poder melhor observar o outro, vez a vez, com o rabo-do-olho, aprontando-lhe a avaliação. Do que disse: — *"Se o destino são componentes consecutivas — além das circunstâncias gerais de pessoa, tempo e lugar... e o karma..."* Ponto é que o Meu Amigo existia, muito; não se fornecia somente figura fabulável, entenda-se. O homenzinho se sentara na ponta da cadeira, os pés e joelhos juntos, segurando com as duas mãos o chapéu; tudo limpinho pobre.

Convidado a dizer-se, declinou que de nome José de Tal, mas, com perdão, por apelido Zé Centeralfe. Sentia-se que ele era um sujeito já arrumado em si; nem estava muito nervoso. Embrulhava-se a falar, por gravidade: — *"Sou homem de muita lei... Tenho um primo oficial-de-justiça... Mas não me abrange socorro... Sou muito amante da ordem..."* Meu Amigo murmurou mais ou menos: — *"Não estamos debaixo da lei, mas da graça..."* — cuido que citasse epístola de São Paulo; e receei que ele não simpatizasse com Zé Centeralfe. Mas, o homenzinho, posto em cruz comprida, e porque se achasse rebaixado, quase desonrado — e ameaçado — viera dar parte. Apanhou o chapéu, que caíra ao chão, com a mão o espanava.

Representou: que era casado, em face do civil e da igreja, sem filhos, morador no arraial do Pai-do-Padre. Vivia tão bem, com a mulher, que tirava divertimento do comum e no trabalho não compunha desgosto. Mas, de mandado do mal, se deu que foi infernar lá um desordeiro, vindiço, se engraçou desbrioso com a mulher, olhou para ela com olho quente... — *"Qual é o nome?"* — Meu Amigo o interrompeu; ele seguia biograficamente os valentões do Sul do Estado. — *"É um Herculinão, cujo sobrenome Socó..."* — explicou o homenzinho. Meu Amigo voltou-se, rosnou: — *"Horripilante badameco..."* Por certo esse Herculinão Socó desmerecesse a mínima simpatia humana, ao contrário, por exemplo, do jovem Joãozinho do Cabo-Verde, que se famigerara das duas bandas da divisa, mas, ao conhecer pessoalmente Meu Amigo — ... *"um homem de lealdade tão ilustre"*... — resolveu passar-se definitivo para o lado paulista, a fim de com ele jamais ter de ver-se em confusão. Sem saber o quê, o homenzinho Zé Centeralfe aprovava com a cabeça. Relatava.

Só para atalhar discórdias, prudenciara; sempre seria melhor levar à paciência. E se humilhara, a menos não poder. Mas, o outro, rufião biltre, não tinha emenda, se desbragava, não cedia desse atrevimento. — *"Ele não tem estatutos. Quem vai arrazoar com homem de má cabeça? Para isso não tenho cara...”* Só se para o vir-às-mãos, para alguma injusta desgraça. Nem podia dar querela: a marca de autoridade, no Pai-do-Padre, se estava em falta. A mulher não tinha mais como botar os pés fora da porta, que o homem surgia para desusar os olhos nela, para a desaforar, com essas propostas. — *“Somente a situação empiorava, por culpa de hirsúcia daquele homem alheio...”* Curvara-se, sempre de meia-esguelha, a ponto que parecia cair da cadeira. Meu Amigo animou-o: — *“Quanta crista!”* — e aí ele depositou no colo o chapéu, e direito se sentou.

Sucedendo-se os sustos e vexames, não acharam outro meio. Ele e a mulher decidiram se mudar. — *“Sendo para a pobreza da gente um cortado e penoso. Afora as saudades de se sair do Pai-do-Padre; a gente era de muita estimação lá.”* Mas, para considerar Deus, e não traspassar a lei, o jeito era. — *“Larguei para o arraial do Amparo...”* Arranjaram no Amparo uma casinha, uma roça, uma horta. Mas, o homem, o nominoso, não tardou em aparecer, sempre no malfazer, naquela sécia. Se arranchou. Sua embirração transfazia um danado de poder, todos dele tomavam medo. E foi a custo ainda maior, e quase à escondida, que José Centeralfe e a esposa conseguiram fugir de lá também, tendo pesar.

Por conta daquele. — *“Cujalma!”* — proferiu Meu Amigo, meticuloso indo ajeitar uma carabina, que se exibia, oblíqua, na parede. Pois a sala — de tão repleta de: rifles, pistolas, espingardas — semelhava o que nunca se vê. — *“Esta leva longe...”* — disse, e riu, um tanto malignamente. Tornou a sentar-se, porém, sorrindo agradado para o José Centeralfe.

Mas mais o homenzinho se ensombrara.

Fosse chorar?

Falou: — *“Viajamos para cá, e ele, nos rastros, lastimando a gente. É peta. Não me perdeu de vistas. Adonde vou, o homem me atravessa... Tenho de tomar sentido, para não entestar com ele.”* Durou numa pausa. Daí, pela primeira vez, alçou a voz: — *“Terá o jus disso, o que passa das marcas? É réu? É para se citar? É um homem de trapaças, eu sei. Aqui é cidade, diz-se que um pode puxar pelos seus direitos. Sou pobre, no particular. Mas eu quero é a lei...”* Tanto dito, calou-se, em silêncio médio; pedia, com olhos de cachorro.

Meu Amigo fez uma coisa. Virou, por metade, o rosto, para encarar aquela carabina. Sério, carregando o minuto. Só. Sem voz. Mais nela afirmando a vista, enquanto umas quantas vezes rabeava com os olhos, na direção do homenzinho; em ato, chamando-o a que também a olhasse, como que a o puxar à lição. Mas o outro ainda não entendia que ele acenasse em alguma coisa. Sem tanto, que deu: — *"E eu o que faço?"* — na direta perguntação.

Surdeava o Meu Amigo, pato-mudo. Soprou nos dedos. Sempre em fito, na arma, na parede, e remirando o outro — ao tempo que — tanto quanto tanto. De feito. O homenzinho se arregalou — de desperto. Desde que desde, ele entendesse, a ver o que para valer: a chave do jogo. Entendeu. Disse: — *"Ah."* E se riu: às razões e conseqüências. Donde bem, se levantou; podia portar por fé.

Sem mais perplexidades, se ia. Agradecia, reespiritado, com sua força de seu santo. Ia a sair. Meu Amigo só ainda perguntou: — *"Quer café... ou uma cachacinha?"* E o outro, de sisório: — *"Seja, que aceito... despois."* Outras palavras não trocaram. Meu Amigo apertou-lhe a mão. Sim, se foi, o José Centeralfe.

Meu amigo, tão valedor, causavelmente, de vá-à-garra o deixava? Comentou: — *"Coronha ou cano..."* O homenzinho, tão perecível, um fagamicho, o mofino — era para esforço tutânico? Meu Amigo sendo o dono do caos. Porém, revistando sua arma, se o tambor se achava chèio. Disse: — *"Sigamos o nosso carecido Aquiles..."* Pois se pois.

Seguimo-lo.

Ele ia, e muito.

Tinha-se de dobrar o passo.

E — de repente e súbito — precipitou-se a ocasião: lá vinha, fatalmente, o outro, o Herculinão, descompassante. Meu Amigo soprou um semi-espirro, canino, conforme seu vezo e uso, em essas, em cheirando a pólvoras.

E... foi: fogo, com rapidez angélica: e o falecido Herculinão, trapuz, já arriado lá, já com algo entre os próprios e infra-humanos olhos, lá nele — tapando o olho-da-rua. Não há como o curso de uma bala; e — como és bela e fugaz, vida!

Três, porém, haviam tirado arma, e dois tiros tinham-se ouvido? Só o Herculinão não teve tempo. Com outra bala, no coração. Homem lento.

O Centeralfe se explicou: — *"Este iscariotes..."*

Meu Amigo, não. Disse um *"Oh"* polissilábico, sem despesas de emoção. Disse: — *"Tudo não é escrito e previsto? Hoje, o deste homem. Os gregos..."* Disse: — *"Mas... a necessidade tem mãos de bronze..."* Disse: — *"Resistência à prisão, constatada..."* Dissera um "não", metafisicado.

Sem repiques nem rebates, providenciava a remoção do Herculinão, com presteza, para sua competente cova.

E convidava-nos a almoçar, ao Zé Centeralfe, principalmente.

Meditava, o Meu Amigo. Disse: — *"Esta nossa Terra é inabitada. Prova-se, isto..."* — pontuante.

Seqüência

Na estrada das Tabocas, uma vaca viajava. Vinha pelo meio do caminho, como uma criatura cristã. A vaquinha vermelha, a cor grossa e afundada — o tom intenso de azamar. Ela solevava as ancas, no trote balançado e manso, seus cascos no chão batiam poeira. Nem hesitava nas encruzilhadas. Sacudia os chifres, recurvos em coroa, e baixava testa, ao rumo, que reto a trazia, para o rio, e — para lá do rio — a terras de um Major Quitério, nos confins do dia, à fazenda do Pãodolhão.

No Arcanjo, onde a estrada borda o povoado, foi notada, e, vendo que era uma rês fujã, tentaram rebatê-la; se esvencilhou, feroz, e foi-se, porém. De beira dos pastos, os anús, que voavam cruzando-a, desvinham de pousar-lhe às costas. No riachinho do Gonçalves, quase findo à míngua d'água, se deteve para beber. Deram tiros, no campo, caçando às codornas. Latidos, noutra parte, faziam-na entrar oculta no cerrado. Ora corriam dela umas mulheres, que andavam buscando lenha. Se encontrava cavaleiros, sabia deles se alonjar, colada ao tapume, com disfarces: sonsa curvada a pastar, no sofrido simulamento. Légua adiante, entanto, nos Antônios, desabalava em galope, espandongada, ao passar por currais, donde ouvia gente e não era ainda o seu termo. Tio Terêncio, o velho, à porta de casa, conversou com o outro: — *"Meo fi'o, q'vaca qu'é essa?"* — *"Nho pai, e'a n'é nossa, não."* Seguia, certa; por amor, não por acaso.

Só, assim, a vaquinha se fugira, da Pedra, madrugadamente — entre o primeiro canto dos melros e o terceiro dos galos — o sol saindo à sua frente, num céu quase da sua cor. Fazia parte de um gado, transportado, de boiadeiros, gado de coração ativo. Viera do Pãodolhão — sua querência. Apressava-se nela o empolgo de saudade que adoece o boi sertanejo em terra estranha, cada outubro, no prever os trovões. Apanhara a boca-da-estrada — para os onde caminhos — fronteando o nascente.

Soada a notícia, seo Rigério, o dono da Pedra, disse: — *"Diaba"*. Ele era alto, o homem, para tão pequenina coisa. Seus sabedores informavam: que a marca sendo a de grande fazendeiro, da outra banda, distante. Seus vaqueiros, postos, prontos. Esse seo Rigério tinha os filhos diversos, que por em volta se achavam. Nem deles, para o quê, havia a necessidade. E vede de que maneira tudo então se passou.

Só um dos filhos, rapaz, senhor-moço, quis-se, de repente, para aquilo: levar em brio e tomar em conta. Atou o laço na garupa. Disse: — *"É uma vaquinha pitanga?"* Pôs-se a cavalo. Soubesse o que por lá o botava, se capaz. Saiu à estrada-geral. Ia indo, à espora leve. Ia desconhecidamente. Indo de oeste para leste.

Já a vaca. O avanço, que levava, não se lhe dava de o bastante. Ante o morro, a passo, breve, nem parava para os capins dos barrancos: arrancava-os, mesmo em marcha, no mesmo surdo insossego. Se subia — cabeceava, num desconjuntado trabalho de si. Se descia — era beira-abismos, patas abertas, se borneando. Após, no plano, trotava. Agora, lá num campal, outras vacas se avistavam. Olhava-as: alteou-se e berrou — o berro encheu a região tristonha. O dia era grande, azul e branco, por cima de matos e poeiras. O sol inteiro.

Já o rapaz se anorteava. Só via o horizonte e sim. Sabia o de uma vaquinha fugida: que, de alma, marca o rumo e faz atalhos — querençosa. Entrequanto, ele perguntava. Davam-lhe novas da arribada. Seu cavalo murça se aplicava, indo noutra forma, ligeiro. Sabia que coisa era o tempo, a involuntária aventura. E esquipava. Ia o longo, longo, longo. Deu patas à fantasia. Ali, escampava. Tempo sem chuvas, terrentas campinas, os tabuleiros tão sujos, campos sem fisionomia. O rapaz ora se cansava. Desde aí, o muito descansou. Do que, após, se atormentava. Apertou.

Com horas de diferença, a vaquinha providenciava. Aqui alta cerca a parou, foi seguindo-a, beira, beira. Dava num córrego. No córrego a vaquinha entrou, veio vindo, dentro d'água. Três vezes esperta. Até que outra cerca travou-a, ia deixando-a desairada. Volveu — irrompida ida: de um ímpeto então a saltou: num salto que queria ser vôo. Vencia. E além se sumia a vaca vermelha, suspensa em bailado, a cauda oscilando. O inimigo já vinha perto.

O rapaz, no vão do mundo, assim vocado e ordenado. Ele agora se irritava. Pensou de arrepender caminho, suspender aquilo para mais tarde. Pensou palavra. O estúpido em que se julgava. Desanimadamente, ele, malandante, podia tirar atrás. Aonde um animal o levava? O incomeçado, o empatoso, o desnorte, o necessário. Voltasse sem ela, passava vergonha. Por que tinha assim tentado? Triste em torno. Só as encostas guardando o florir de árvores esfolhadas: seu roxo-escuro de julho as carobinhas, ipês seu amarelo de agosto. Só via os longes de um quadro. O absurdo ar. Chatos mapas. O céu de se abismar. E indagava o chão, rastreava. Agora, manchava o campo a sombra grande de uma nuvem. O rapaz lançou longe um olhar. De repente, ajustou a mão à testa, e exclamou. Do ponto, descortinou que: aquela. A vaquinha, respoeirando. Aí e lá, tomou-a em vista. O vulto, pé de pessoa, que a cumeada do morro escalava. Ver o que diabo. Reduzida, ocupou, um instante, a lomba linha do espigão. Aí, se afundou para o de lá, e se escondeu de seus olhos. Transcendia ao que se destinava.

O rapaz, durante e tanto, montado no bom cavalo, à espora avante, galgando. Sempre e agudamente olhava. Podia seguir com os olhos como o rastro se formava. Só perseguia a paisagem. Preparava-se uma vastidão: de manchas cinzas e amarelas. O céu também em amarelo. Pitavam extensões de campo, no virar do sol, das queimadas; altas, mais altas, azuis, as fumaças desmanchavam-se. O rapaz — desdobrada vida — se pensou: — *"Seja o que seja."*

Aí, subia também ao morro, de onde muito se enxergava: antes das portas do longe, as colinas convalares — e um rio, em suas baixadas, em sua várzea empalmeirada. O rio, liso e brilhante, de movimentos invisíveis. Como cortando o mundo em dois, no caminho se atravessava — sem som. Seriam buracos negros, as sombras perto das margens.

Depois dos destornamentos, a vaquinha chegava à beira, às derradeiras canas-bravas. Com roubada rapidez, ia a levantar o desterro. Foi uma mexidinha figura — quase que mal os dois chifres nadando — a vaca vermelha o transpondo, a esse rio, de tardinha; que em setembro. Sob o céu que recebia a noite, e que as fumaças chamava.

Outrarte o ouro esboço do crepúsculo. O rapaz, o cavalo bom, como vinham, contornando. Antes do rio não viam: as aves, que já ninhavam. À beira, na tardação, não queria desastrar-se, de nada; pensava. Às pausas, parte por parte. Não ouviu sino de vésperas. Tinha de perder de ganhar? Já que sim e já que não, pensou assim: jamais, jamenos... — o filho de seo Rigério. A fatal perseguição, podia quebrar e quitar-se. Hesitou, se. Por certo não passaria, sem o que ele mesmo não sabia — a oculta, súbita saudade. Passo extremo! Pegou a descalçar as botas. E entrou — de peito feito. Àquelas qüilas águas trans — às braças. Era um rio e seu além. Estava, já, do outro lado.

— *"A vaca?"* — e apertava o encalço — à boa espora, à rédea larga. Mas a vaca era uma malícia, precipitava-se o logro. Nisso, anoiteceu. E não é que, seu cavalo, o murça, se sentia — da viagem de pêlo a pêlo: os joelhos bambeava, descaía, quase caía para a frente o cavaleiro.

Iam-se, na ceguez da noite — à casa da mãe do breu: a vaca, o homem, a vaca — transeuntes, galopando. — *"Onde então o Pãodolhão? Cujo dono? Vinha-se a qual destinatário?"* Pelas vertentes, distante, e até ao cimo do monte, um campo se incendiava: faiscas — as primeiras estrelas. O andamento. O rapaz: obcego. Sofria como podia, nem podia mais desespero. O arrepio negro das árvores. O mundo entre as estrelas e os grilos. Semiluz: sós estrelas. Onde e aonde? A vaca, essa, sabia: por amor desses lugares.

Chegava, chegavam. Os pastos da vasta fazenda. A vaca surgia-se na treva. Mugiu, arrancadamente. Remugiu em fim. A um bago de luz, lá, lá. Às luzes que pontilhavam, acolá, as janelas da casa, grande. Só era uma luz de entrequanto? A casa de um Major Quitério.

O rapaz e a vaca se entravam pela porteira-mestra dos currais. O rapaz desapeava. Sob o estúrdio atontamento, começou a subir a escada. Tanto tinha de explicar.

Tanto ele era o bem-chegado!

A uma roda de pessoas. Às quatro moças da casa. A uma delas, a segunda. Era alta, alva, amável. Ela se desescondia dele. Inesperavam-se? O moço compreendeu-se. Aquilo mudava o acontecido. Da vaca, ele a ela diria: — *"É sua."* Suas duas almas se transformavam? E tudo à sazão do ser. No mundo nem há parvoíces: o mel do maravilhoso, vindo a tais horas de estórias, o anel dos maravilhados. Amavam-se.

E a vaca — vitória, em seus ondes, por seus passos.

O espelho

— SE QUER SEGUIR-ME, NARRO-LHE; NÃO UMA AVENTURA, mas experiência, a que me induziram, alternadamente, séries de raciocínios e intuições. Tomou-me tempo, desânimos, esforços. Dela me prezo, sem vangloriar-me. Surpreendo-me, porém, um tanto à-parte de todos, penetrando conhecimento que os outros ainda ignoram. O senhor, por exemplo, que sabe e estuda, suponho nem tenha idéia do que seja na verdade — um espelho? Demais, decerto, das noções de física, com que se familiarizou, as leis da óptica. Reporto-me ao transcendente. Tudo, aliás, é a ponta de um mistério. Inclusive, os fatos. Ou a ausência deles. Duvida? Quando nada acontece, há um milagre que não estamos vendo.

Fixemo-nos no concreto. O espelho, são muitos, captando-lhe as feições; todos refletem-lhe o rosto, e o senhor crê-se com aspecto próprio e praticamente imudado, do qual lhe dão imagem fiel. Mas — que espelho? Há-os "bons" e "maus", os que favorecem e os que detraem; e os que são apenas honestos, pois não. E onde situar o nível e ponto dessa honestidade ou fidedignidade? Como é que o senhor, eu, os restantes próximos, somos, no visível? O senhor dirá: as fotografias o comprovam. Respondo: que, além de prevalecerem para as lentes das máquinas objeções análogas, seus resultados apóiam antes que desmentem a minha tese, tanto revelam superporem-se aos dados iconográficos os índices do misterioso. Ainda que tirados de imediato um após outro, os retratos sempre serão entre si *muito* diferentes. Se nunca atentou nisso, é porque vivemos, de modo incorrigível, distraídos das coisas mais importantes. E as máscaras, moldadas nos rostos? Valem, grosso modo, para o falquejo das formas, não para o explodir da expressão, o dinamismo fisionômico. Não se esqueça, é de fenômenos sutis que estamos tratando.

Resta-lhe argumento: qualquer pessoa pode, a um tempo, ver o rosto de outra e sua reflexão no espelho. Sem sofisma, refuto-o. O experimento, por sinal ainda não realizado *com rigor*, careceria de valor científico, em vista das irredutíveis deformações, de ordem psicológica. Tente, aliás, fazê-lo, e terá notáveis surpresas. Além de que a simultaneidade torna-se impossível, no fluir de valores instantâneos. Ah, o tempo é o mágico de todas as traições... E os próprios olhos, de cada um de nós, padecem viciação de origem, defeitos com que cresceram e a que se afizeram, mais e mais. Por começo, a criancinha vê os objetos invertidos, daí seu desajeitado tactear; só a pouco e pouco é que consegue retificar, sobre a postura dos volumes externos, uma precária visão. Subsistem, porém, outras pechas, e mais graves. Os olhos, por enquanto, são a porta do engano; duvide deles, dos seus, não de mim. Ah, meu amigo, a espécie humana peleja para impor ao latejante mundo um pouco de rotina e lógica, mas algo ou alguém de tudo faz frincha para rir-se da gente... E então?

Note que meus reparos limitam-se ao capítulo dos espelhos planos, de uso comum. E os demais — côncavos, convexos, parabólicos — além da possibilidade de outros, não descobertos, apenas, ainda? Um espelho, por exemplo, tetra ou quadridimensional? Parece-me não absurda, a hipótese. Matemáticos especializados, depois de mental adestramento, vieram a construir objetos a quatro dimensões, para isso utilizando pequenos cubos, de várias cores, como esses com que os meninos brincam. Duvida?

Vejo que começa a descontar um pouco de sua inicial desconfiança, quanto ao meu são juízo. Fiquemos, porém, no terra-a-terra. Rimo-nos, nas barracas de diversões, daqueles caricatos espelhos, que nos reduzem a mostrengos, esticados ou globosos. Mas, se só usamos os planos — e nas curvas de um bule tem-se sofrível espelho convexo, e numa colher brunida um concavo razoável —

deve-se a que primeiro a humanidade mirou-se nas superfícies de água quieta, lagoas, lameiros, fontes, delas aprendendo a fazer tais utensílios de metal ou cristal. Tirésias, contudo, já havia predito ao belo Narciso que ele viveria apenas enquanto a si mesmo não se visse... Sim, são para se ter medo, os espelhos.

Temi-os, desde menino, por instintiva suspeita. Também os animais negam-se a encará-los, salvo as críveis excepções. Sou do interior, o senhor também; na nossa terra, diz-se que nunca se deve olhar em espelho às horas mortas da noite, estando-se sozinho. Porque, neles, às vezes, em lugar de nossa imagem, assombra-nos alguma outra e medonha visão. Sou, porém, positivo, um racional, piso o chão a pés e patas. Satisfazer-me com fantásticas não-explicações? — jamais. Que amedrontadora visão seria então aquela? Quem o Monstro?

Sendo talvez meu medo a revivescência de impressões atávicas? O espelho inspirava receio supersticioso aos primitivos, aqueles povos com a idéia de que o reflexo de uma pessoa fosse a alma. Via de regra, sabe-o o senhor, é a superstição fecundo ponto de partida para a pesquisa. A alma do espelho — anote-a — esplêndida metáfora. Outros, aliás, identificavam a alma com a sombra do corpo; e não lhe terá escapado a polarização: luz — treva. Não se costumava tapar os espelhos, ou voltá-los contra a parede, quando morria alguém da casa? Se, além de os utilizarem nos manejos da magia, imitativa ou simpática, videntes serviam-se deles, como da bola de cristal, vislumbrando em seu campo esboços de futuros fatos, não será porque, através dos espelhos, parece que o tempo muda de direção e de velocidade? Alongo-me, porém. Contava-lhe...

Foi num lavatório de edifício público, por acaso. Eu era moço, comigo contente, vaidoso. Descuidado, avistei... Explico-lhe: dois espelhos — um de parede, o outro de porta lateral, aberta em ângulo propício — faziam jogo. E o que enxerguei, por instante, foi uma figura, perfil humano, desagradável ao derradeiro grau, repulsivo senão hediondo. Deu-me náusea, aquele homem, causava-me ódio e susto, eriçamento, espavor. E era — logo descobri... era eu, mesmo! O senhor acha que eu algum dia ia esquecer essa revelação?

Desde aí, comecei a procurar-me — ao eu por detrás de mim — à tona dos espelhos, em sua lisa, funda lâmina, em seu lume frio. Isso, que se saiba, antes ninguém tentara. Quem se olha em espelho, o faz partindo de preconceito afetivo, de um mais ou menos falaz pressuposto: ninguém se acha na verdade feio: quando muito, em certos momentos, desgostamo-nos por provisoriamente discrepantes de um ideal estético já aceito. Sou claro? O que se busca, então, é verificar, acertar, trabalhar um *modelo* subjetivo, preexistente; enfim, ampliar o ilusório, mediante sucessivas novas capas de ilusão. Eu, porém, era um perquiridor imparcial, neutro absolutamente. O caçador de meu próprio aspecto formal, movido por curiosidade, quando não impessoal, desinteressada; para não dizer o urgir científico. Levei meses.

Sim, instrutivos. Operava com toda a sorte de astúcias: o rapidíssimo relance, os golpes de esguelha, a longa obliqüidade apurada, as contra-surpresas, a finta de pálpebras, a tocaia com a luz de-repente acêsa, os ângulos variados incessantemente. Sobretudo, uma inembotável paciência. Mirava-me, também, em marcados momentos — de ira, medo, orgulho abatido ou dilatado, extrema alegria ou tristeza. Sobreabriam-se-me enigmas. Se, por exemplo, em estado de ódio, o senhor enfrenta objetivamente a sua imagem, o ódio reflui e recrudesce, em tremendas multiplicações: e o senhor vê, então, que, de fato, só se odeia é a si mesmo. Olhos contra os olhos. Soube-o: os olhos da gente não têm fim. Só eles paravam imutáveis, no centro do segredo. Se é que de mim não zombassem, para lá de uma máscara. Porque, o resto, o rosto, mudava permanentemente. O senhor, como os demais, não vê que seu rosto é apenas um movimento deceptivo, constante. Não vê, porque mal advertido, avezado; diria eu: ainda adormecido, sem desenvolver sequer as mais necessárias novas percepções. Não vê, como também não se vêem, no comum, os movimentos translativo e rotatório deste planeta Terra, sobre que os seus e os meus pés assentam. Se quiser, não me desculpe; mas o senhor me compreende.

Sendo assim, necessitava eu de transverberar o embuço, a travisagem daquela *máscara*, a fito de devassar o núcleo dessa nebulosa — a minha vera forma. Tinha de haver um jeito. Meditei-o. Assistiram-me seguras inspirações.

Concluí que, interpenetrando-se no disfarce do *rosto externo* diversas componentes, meu problema seria o de submetê-las a um bloqueio "visual" ou anulamento perceptivo, a suspensão de uma por uma, desde as mais rudimentares, grosseiras, ou de inferior significado. Tomei o elemento animal, para começo.

Parecer-se cada um de nós com determinado bicho, relembrar seu *facies*, é fato. Constato-o, apenas; longe de mim puxar à bimbalha temas de metempsicose ou teorias biogenéticas. De um mestre, aliás, na ciência de Lavater, eu me inteirara no assunto. Que acha? Com caras e cabeças ovinas ou eqüinas, por exemplo, basta-lhe relancear a multidão ou atentar nos conhecidos, para reconhecer que os há, muitos. Meu sósia inferior na escala era, porém — a onça. Confirmei-me disso. E, então, eu teria que, após dissociá-los meticulosamente, aprender a *não ver*, no espelho, os traços que em mim recordavam o grande felino. Atirei-me a tanto.

Releve-me não detalhar o método ou métodos de que me vali, e que revezavam a mais buscante análise e o estrênuo vigor de abstração. Mesmo as etapas preparatórias dariam para aterrar a quem menos pronto ao árduo. Como todo homem culto, o senhor não desconhece a Ioga, e já a terá praticado, quando não seja, em suas mais elementares técnicas. E, os "exercícios espirituais" dos jesuítas, sei de filósofos e pensadores incréus que os cultivam, para aprofundarem-se na capacidade de concentração, de par com a imaginação criadora... Enfim, não lhe oculto haver recorrido a meios um tanto empíricos: gradações de luzes, lâmpadas coloridas, pomadas fosforescentes na obscuridade. Só a uma expediência me recusei, por medíocre senão falseadora, a de empregar outras substâncias no aço e estanhagem dos espelhos. Mas, era principalmente no *modus* de focar, na visão parcialmente alheada, que eu tinha de agilitar-me: olhar não-vendo. Sem ver o que, em "meu" rosto, não passava de *reliquat* bestial. Ia-o conseguindo?

Saiba que eu perseguia uma realidade experimental, não uma hipótese imaginária. E digo-lhe que nessa operação fazia reais progressos. Pouco a pouco, no campo-de-vista do espelho, minha figura reproduzia-se-me lacunar, com atenuadas, quase apagadas de todo, aquelas partes excrescentes. Prossegui. Já aí, porém, decidindo-me a tratar simultaneamente as outras componentes, contingentes e ilusivas. Assim, o elemento hereditário — as parecenças com os pais e avós — que são também, nos nossos rostos, um lastro evolutivo residual. Ah, meu amigo, nem no ovo o pinto está intacto. E, em seguida, o que se deveria ao contágio das paixões, manifestadas ou latentes, o que ressaltava das desordenadas pressões psicológicas transitórias. E, ainda, o que, em nossas caras, materializa idéias e sugestões de outrem; e os efêmeros interesses, sem seqüência nem antecedência, sem conexões nem fundura. Careceríamos de dias, para explicar-lhe. Prefiro que tome minhas afirmações por seu valor nominal.

À medida que trabalhava com maior mestria, no excluir, abstrair e abstrar, meu esquema perspectivo clivava-se, em forma meândrica, a modos de couve-flor ou bucho de boi, e em mosaicos, e francamente cavernoso, como uma esponja. E escurecia-se. Por aí, não obstante os cuidados com a saúde, comecei a sofrer dores de cabeça. Será que me acovardei, sem menos? Perdoe-me, o senhor, o constrangimento, ao ter de mudar de tom para confidência tão humana, em nota de fraqueza inesperada e indigna. Lembre-se, porém, de Terêncio. Sim, os antigos; acudiu-me que representavam justamente com um espelho, rodeado de uma serpente, a Prudência, como divindade alegórica. De golpe, abandonei a investigação. Deixei, mesmo, por meses, de me olhar em qualquer espelho.

Mas, com o comum correr quotidiano, a gente se aquieta, esquece-se de muito. O tempo, em longo trecho, é sempre tranqüilo. E pode ser, não menos, que encoberta curiosidade me picasse. Um dia... Desculpe-me, não viso a efeitos de ficcionista, inflectindo de propósito, em agudo, as situações. Simplesmente lhe digo que me olhei num espelho e não me vi. Não vi nada. Só o campo, liso, às vácuas, aberto como o sol, água limpíssima, à dispersão da luz, tapadamente tudo. Eu não tinha formas, rosto? Apalpei-me, em muito. Mas, o invisto. O ficto. O sem evidência física. Eu era — o transparente contemplador?... Tirei-me. Aturdi-me, a ponto de me deixar cair numa poltrona.

Com que, então, durante aqueles meses de repouso, a faculdade, antes buscada, por si em mim se exercitara! Para sempre? Voltei a querer encarar-me. Nada. E, o que tomadamente me estarreceu: eu não via os meus olhos. No brilhante e polido nada, não se me espelhavam nem eles!

Tanto dito que, partindo para uma figura gradualmente simplificada, despojara-me, ao termo, até à total desfigura. E a terrível conclusão: não haveria em mim uma existência central, pessoal, autônoma? Seria eu um... des-almado? Então, o que se me fingia de um suposto *eu*, não era mais que, sobre a persistência do animal, um pouco de herança, de soltos instintos, energia passional estranha, um entrecruzar-se de influências, e tudo o mais que na impermanência se indefine? Diziam-me isso os raios luminosos e a face vazia do espelho — com rigorosa infidelidade. E, seria assim, com todos? Seríamos não muito mais que as crianças — o espírito do viver não passando de ímpetos espasmódicos, relampejados entre miragens: a esperança e a memória.

Mas, o senhor estará achando que desvario e desoriento-me, confundindo o físico, o hiperfísico e o transfísico, fora do menor equilíbrio de raciocínio ou alinhamento lógico — na conta agora caio. Estará pensando que, do que eu disse, nada se acerta, nada prova nada. Mesmo que tudo fosse verdade, não seria mais que reles obsessão auto-sugestiva, e o despropósito de pretender que psiquismo ou alma se retratassem em espelho...

Dou-lhe razão. Há, porém, que sou um mau contador, precipitando-me às ilações antes dos fatos, e, pois: pondo os bois atrás do carro e os chifres depois dos bois. Releve-me. E deixe que o final de meu capítulo traga luzes ao até agora aventado, canhestra e antecipadamente.

São sucessos muito de ordem íntima, de caráter assaz esquisito. Narro-os, sob palavra, sob segredo. Pejo-me. Tenho de demais resumi-los.

Pois foi que, mais tarde, anos, ao fim de uma ocasião de sofrimentos grandes, de novo me defrontei — não rosto a rosto. O espelho mostrou-me. Ouça. Por um certo tempo, nada enxerguei. Só então, só depois: o tênue começo de um quanto como uma luz, que se nublava, aos poucos tentando-se em débil cintilação, radiância. Seu mínimo ondear comovia-me, ou já estaria contido em minha emoção? Que luzinha, aquela, que de mim se emitia, para deter-se acolá, refletida, surpresa? Se quiser, infira o senhor mesmo.

São coisas que se não devem entrever; pelo menos, além de um tanto. São outras coisas, conforme pude distinguir, muito mais tarde — por último — num espelho. Por aí, perdoe-me o detalhe, eu já amava — já aprendendo, isto seja, a conformidade e a alegria. E... Sim, vi, a mim mesmo, de novo, meu rosto, um rosto; não este, que o senhor razoavelmente me atribui. Mas o ainda-nem-rosto — quase delineado, apenas — mal emergindo, qual uma flor pelágica, de nascimento abissal... E era não mais que: rostinho de menino, de menos-que-menino, só. Só. Será que o senhor nunca compreenderá?

Devia ou não devia contar-lhe, por motivos de talvez. Do que digo, descubro, deduzo. Será, se? Apalpo o evidente? Tresbusco. Será este nosso desengonço e mundo o plano — intersecção de planos — onde se completam de fazer as almas?

Se sim, a "vida" consiste em experiência extrema e séria; sua técnica — ou pelo menos parte — exigindo o consciente alijamento, o despojamento, de tudo o que obstrui o crescer da alma, o que a atulha e soterra? Depois, o *"salto mortale"*... — digo-o, do jeito, não porque os acrobatas italianos o aviventaram, mas por precisarem de toque e timbre novos as comuns expressões, amortecidas... E o julgamento-problema, podendo sobrevir com a simples pergunta: — *"Você chegou a existir?"*

Sim? Mas, então, está irremediavelmente destruída a concepção de vivermos em agradável acaso, sem razão nenhuma, num vale de bobagens? Disse. Se me permite, espero, agora, sua opinião, mesma, do senhor, sobre tanto assunto. Solicito os reparos que se digne dar-me, a mim, servo do senhor, recente amigo, mas companheiro no amor da ciência, de seus transviados acertos e de seus esbarros titubeados. Sim?

Nada e a nossa condição

Na minha família, em minha terra, ninguém conheceu uma vez um homem, de mais excelência que presença, que podia ter sido o velho rei ou o príncipe mais moço, nas futuras estórias de fadas. Era fazendeiro e chamava-se Tio Man'Antônio.

Sua fazenda, cuja sede distava de qualquer outra talvez mesmo dez léguas, dobrava-se na montanha, em muito erguido ponto e de onde o ar num máximo raio se afinava translúcido: ali as manhãs dando de plano e, de tarde, os tintos roxo e rosa no poente não dizendo de bom nem mau tempo. Essa fazenda, Tio Man'Antônio tivera-a menos por herança que por compra; e tão apartado em si se conduzia ele, individido e esquivo na conversa, que jamais quase a referisse pelo nome, mas, raro e apenas, sobmaneira: — *"... Lá em casa... Vou para casa..."*

À que — assobradada, alicerçada fundo, de tetos altos, longa, e com quantos sem uso corredores e quartos, cheirando a fruta, flor, couro, madeiras, fubá fresco e excremento de vaca — fazia face para o norte, entre o quintal de limoeiros e os currais, que eram um ornato; e, à frente, escada de pau de quarenta degraus em dois lanços levava ao espaço da varanda, onde, de um caibro, a um canto, pendia ainda a corda do sino de outrora comandar os escravos assenzalados.

Tio Man'Antônio, esperava-o lá a mulher, Tia Liduína, de árdua e imemorial cordura, certa para o nunca e sempre. E rodeavam-no as filhas, singelas, sérias, cuidosas, como supridamente sentiam que o amavam. Salvavam-no, com invariável *sus'*Jesus, desde bem antes da primeira cancela, diversidade de servos, gente indígena, que por alhures e além estanciavam. Mas, ele, de cada vez, se curvava, de um jeito, para entrar, como se a elevada porta fosse acanhada e alheia, convidadamente, aos bons abrigos. Vivia, feito tenção. Assim, a respeito dele, muita real coisa ninguém sabia.

Só se de longe. Senão quando vinha, constante, serra acima, a retornar viagem, galgando caminhos fragosos, à beira de despenhadeiros e crevassas — grotas em tremenda altura. Da varanda, dado o dia diáfano, já ainda a distância de tanto e légua avistavam-no, pontuando o claro do ar, em certas voltas de estrada, a aproximar-se e desaproximar-se, sequer seqüente. Insistindo, à cavalga no burro forçoso e manso, aos poucos avançava, Tio Man'Antônio, em rigoroso traje, ainda que a ordinária roupa de brim cor de barro, pois que sempre em grau de reles libré; e sem polainas nem botas, quiçá nem esporas. A tento, amiúde, distinguir-se-iam mesmo seus omissos gestos principais: o de, vez em vez, fazer que afastava, devagar, de si, quaisquer coisas; o de alisar com os dedos a testa, enquanto pensava o que não pensava, propenso a tudo, afetando um cochilo. Nem olhasse mais a paisagem?

Sim, se os cimos — onde a montanha abre asas — e as infernas grotas, abismáticas, profundíssimas. Tanto contemplava-as, feito se, a elas, algo, algum modo, de si, votivo, o melhor, ofertasse: esperança e expiação, sacrifícios, esforços — à flor. Seria, por isso, um dia topasse, ao favorável, pelo tributo gratos, o Rei-dos-Montes ou o Rei-das-Grotas — que de tudo há e tudo a gente encontra? De si para si, quem sabe, só o que inútil, novo e necessário, segredasse; ele consigo mesmo muito se calava. Pois era assim que era, se; só estamos vivendo os futuros antanhos. Demais não se ressentisse, também, de sequidão, solidão, calor ou frio, nem do quotidiano desconforto tirava queixa. Mas debruçado, leve a cabecear, e com cerrada boca, expirando ligeiro ofego. Debilitada a vista, nos tempos agora. Por essa época, porém, sim; por uso. Olhava, com a seu nem ciente amor, distantemente, fundos e cumes. Seduzível conheceu-se, ele, de encarar sempre o tudo? Chegava, após íngremes horas e encostas.

Sua mulher, Tia Liduína, então morreu, quase de repente, no entrecorte de um suspiro sem ai e uma ave-maria interrupta. Tio Man'Antônio, com nenhum titubeio, mandou abrir, par em par, portas e janelas, a longa, longa casa. Entre que as filhas, orfanadas, se abraçavam, e revestia-se a amada morta, incôngruo visitou ele, além ali, um pós um, quarto e quarto, cômodo e cômodo.

Pelas janelas, olhou; urgia a divagação. Passou a paisagem pela vista, só a segmentos, serial, como dantes e ainda antes. De roda, na vislumbrança, o que dos vales e serros vem é o que o horizonte é — tudo em tudo. Pois, noutro lanço de vista, ele pegava a paisagem pelas costas: as sombras das grotas e a montanha prodigiosa, a vanecer-se, sobre asas. Ajudavam-no, de volta, agora que delas precisava? Definia-se, ele, ali, sem contradição nem resistência, a inquebrantar-se, desde quando de futuro e passado mais não carecia. Talvez, murmurasse, de tão dentro em si, coisas graves, grandes, sem som nem sentido.

Enfim, tornou para junto delas, de sua Liduína — imovelmente — ao século, como a quisessem: num amontôo de flores. Suspensas, as filhas, de todo a o não entender, mas adivinhar, dele a crédito vago esperassem, para o comum da dor, qualquer socôrro. Ele, por detrás de si mesmo, pondo-se de parte, em ambíguos âmbitos e momentos, como se a vida fosse ocultável; não o conheceriam através de figuras. Sendo que refez sua maciez; e era uma outra espécie, decorosa, de pessoa, de olhos empalidecidamente azuis. Mas fino, inenganador, o rosto, cinzento moreno.

Transluz-se que, fitando-o, agora, era como se súbito as filhas ganhassem ainda, do secesso de seus olhos, o insabível curativo de uma graça, por quais longínquos, indizíveis reflexos ou vestígios. Felícia, apenas, a mais jovem, clamou, falando ao pai: — *"Pai, a vida é feita só de traiçoeiros altos-e-baixos? Não haverá, para a gente, algum tempo de felicidade, de verdadeira segurança?"* E ele, com muito caso, no devagar da resposta, suave a voz: — *"Faz de conta, minha filha... Faz de conta..."* Entreentendidos, mais não esperaram. Cabisbaixara-se, Tio Man'Antônio, no dizer essas palavras, que daí seriam as suas dele, sempre. Sobre o que, leve, beijou a mulher.

Então, as filhas e ele choraram; mas com o poder de uma liberdade, que fosse qual mais forte e destemida esperança.

Tia Liduína, que durante anos de amor tinham-na visto todavia sorrir sobre sofrer — só de ser, vexar-se e viver, como, ora, dá-se — formava dolorida falta ao uso de afeto de todos. Tia Liduína, que já fina música e imagem.

Com ver, porém, que Tio Man'Antônio a andar de dó se recusasse, sensato sem cuidados, intrágico, sem acentos viuvosos. Inaugurava-se grisalho, sim, um tanto mais encolhidos os ombros. Ele — o transitório — só se diga, por esse enquanto. Nada dizia, quando falava, às vezes a gente mal pensava que ele não se achasse lá, de novo assim, sem som, sem pessoa. Ao revés, porém, Tio Man'Antônio concebia. — *"Faça-se de conta!"* — ordenou, em hora, mansozinho. Um projeto, de se crer e obrar, ele levantava. Um, que começaram.

Seus pés-no-chão muitos camaradas, luzindo a solsim foices, enxadas, facões, obedeciam-lhe, sequacíssimos, no que com talento de braços executavam, leigos, ledos, lépidos. Mas ele guiava-os, muito cometido, pelos sabidos melhores meios e fins, engenheiro e fazedor, varão de tantas partes; associava com eles, dava coragem. — *"Faz de conta, minha gente... Faz de conta..."* — em seu bom sussurro, lábios de entre-sorriso, mas severo, de si inflexível, que certo. Matinava, dia por dia, impelindo-os, arrastando-os, de industriação, à dobrada dobadoura, a derrubarem mato e cortar árvores, no que era uma reformação — a boa data de trabalhos. Seja que esses homens, esforçados e avindos, lerdos e mandriões, nem percebessem ali sujeição e senhoria, senão que, de siso, estimavam-no, decerto, queriam-lhe como quem. E em afã atacavam o inteiro rededor, que nem que medido em seqüentes metros, acima e abaixo, com fórmulas e curvas.

À leréia, aquilo, que não se entendendo por carecido ou útil, antes talvez achassem em tudo ação de desconcernência, ar na cachimônia, tolice quase, a impura perfunctura. Mas, Tio Man'Antônio, no se é o que é que é, as abas de palha do chapelão abaixava, semicerrava olhos ao sol, suava, tem vez que tossia, a que quando. Ele era um que sabia abanar a cabeça, que não, que sim. Isto, porém, que o encoberto dele a todos se impunha, separativo. Acordado, querente, via-se. Senão que, homem, e, como todo homem, de fracos ossos? Outra, contudo, parecendo ser a razão por que não se cansava nunca, naquela manência, indiferentes horas. Porque fazia ou sofria as coisas, sem parar, mas não estava, dentro em sua mente, em tudo e nada ocupado.

De arte que inventava outro sorrir, refeito ingênuo; esquecera-se de todos os bens passados. E seu surdo plano, enfim, no dia, se fechou. De sorte que as filhas viram que já tudo estava pronto; e se contristaram.

Com que — e por que idéia ingrata e estranhável — pretendera ele de desmanchar o aspecto do lugar, que de desde a antiguidade, a fisionomia daquelas rampas de serras, que a Mãe vira e quisera? No desbaste, rente em redor, com efeito, nada se poupara — nem o mato lajeiro, tufos ticos de moitas, e arbustos — onde ali tudo se escampava. A ponto isto foi, de interpelá-lo a filha dileta, Francisquinha, aflita meigamente. Se não seria aquilo arrefecido sentimento, pecar contra a saudade?

Assim ele muito a ouviu, e, com quieto estar mirando-a, respondeu-lhe, se bem que outro tanto alheio, alhures. — *"Nem tanto, filha... Nem tanto..."* Donde que, ao passo que o dizia, quem sabe, em segundo soslaio, sorria, sem passar de palavra a outra palavra. Mostrou-lhes: lá os campos em desdobra — o que limpo, livre, se estendia, em quadro largo, sem sombrios, aberta a paisagem — o descampado airoso e verde, ao mais verde grau, os capins naquela vivacidade.

Ah! — ora, que e quem, pois — e era uma enorme, feita fantasia. Porque, aquém e além, como árvores deixadas para darem sombra aos bois no ruminar do calor, só e muito se divisavam, consagradas, a vistosa sapucaia formidável, a sambaíba sertaneja à borda da sorocaba, e, para fevereiro-março e junho-julho, sem folhas, sendo-se só de flores, a barriguda rósea e a paineira purpúrea-quase-rubra, magnificentes, respectivas. Outras, outras. Mas, não mais, no qual lugar, que aquelas que Tia Liduína em vida preferira amar — seus bens de alegria!

Surpreenderam-se, as filhas, ampliaram assaz os olhos. Falava-se muito em pouco; só se lágrimas. Realmente, reto Tio Man'Antônio se semelhasse, agora, de ter sido e vir a ser. E de existir — principalmente — vestido de funesto e intimado de venturoso.

Que, não é que, em seu dito cuidar e encaprichar-se, sem querer também profetizara, nos negócios, e fora adivinho. Porque subiu, na ocasião, considerável, de repente, o prêço do gado, os fazendeiros todos querendo adquirir mais bois e arrumar e aumentar seus pastos. Tio Man'Antônio, então, daquele solerte jeito, acertara tão em pleno, passando-lhes à frente e sem nenhum alarde. Do que, manso tanto, ele se desdenhava? Passara a atentar também nas verdes próximas vertentes em campina, de olhos postos; que não apenas na montanha: alta — como conseqüências de nenhum ato.

Nada leva a não crer, por aí, que ele não se movesse, prático, como os mais; mas, conforme a si mesmo: de transparência em transparência. Avançava, assim, com honesta astúcia, se viu, no que quis e fez? No outro ano e depois, quando, à arte de contristes celebrarem, como se fosse ela viva e presente, o dia de Tia Liduína, propôs uma festa, e para enganar os fados.

Que deu, as filhas concordando. Elas estavam crescidas e esclarecidas. Vieram moços, primos, esses tinham belas imaginações. Tio Man'Antônio recebendo-os e vendo-os, a beneplácito. E as filhas, formosas, três, cada uma incomparável, noivaram e se casaram, em breve os desposórios. Vai, foram-se, de lá, para longes diversos, com os genros de Tio Man'Antônio. Ele, permaneceu, de outrora a hoje-em-diante, ficou, que. Ali, em sua velha e erma casa, sob azuis, picos píncaros e desmedidas escarpas, sobre precipícios de paredões, grotões e alcantis abismosos — feita uma mansão suspensa — no pérvio.

Três, as filhas, que por amor de anos ele tinha visto renovarem a descoberta de alegria e alma — só de ser, viver e crescer, como, ora, se dá — formavam sentida falta ao seu querer de ternura experiente? Suas filhas, que já indivisas partes de uma canção.

Sozinho, sim, não triste. Tio Man'Antônio respeitava, no tangimento, a movida e muda matéria; mesmo em seu mais costumeiro gesto — que era o de como se largasse tudo de suas mãos, qualquer objeto. Distraído, porém, acarinhando-as, redimia-as, de outro modo, às coisas comezinhas? Vez, vez, entanto, e quando mais em forças de contente bem-estar se sentindo, então, dispostamente, ele se levantava, submetia-se, sem sabida precisão, a algum rude, duro trabalho — chuva, sol, ação. Parecia-lhe como se o mundo-no-mundo lhe estivesse ordenando ou implorando, necessitado, um pouco dele mesmo, a seminar-se? Ou — a si — ia buscar-se, no futuro, nas asas da montanha. Fazia de conta; e confiava, nas calmas e nos ventos.

Tanto tempo que isto, mostrava-se ele ainda não achacoso, em seu infatigado viver e inquebrantável moleza; nem ainda encanecido, como o florir do ingazeiro, conforme viria a ficar, pelo depois.

Tão próspero em seus dias, podia larguear, tinha o campo coberto de bois. Tudo se inestimava, porém, para Tio Man'Antônio, ali, onde, tudo o que não era demais, eram humanas fragilidades. Apreendesse o poder de conversar, em surdo e agudo, as relações dos acontecimentos, dos fatos; e dissuadia-se de tudo — das coisas, em multidão, misérias. Ele — o transitoriante. Realmente, seu pensamento não voltava atrás? Mas, mais causas, no mundo e em si, ele, à esperança, em sua circunvisão, condenado, descobria.

Em termos muito gerais, haveria uma mor justiça; mister seria. Se o paiol limpo se deve de, para as grandes colheitas: como a metade pede o todo e o vazio chama o cheio. E foi o que Tio Man'Antônio algum dia resolveu, conseguintemente assim, se se crê. Deveras, aquilo se deu. O que foi uma muito remexida história. E eis. E pois.

Aos poucos, a diverso tempo, às partes, entre seus muitos, descalços servos, pretos, brancos, mulatos, pardos, leguelhés prequetés, enxadeiros, vaqueiros e camaradas — os próximos — nunca sediciosos, então Tio Man'Antônio doou e distribuiu suas terras. Sim, tudo procedido à quieta, sob espécie, com o industrio de silêncios, a fim de logo não se espevitar todo-o-mundo em cobiça, ao espalhar-se o saber do que agora se liberalizava ali, em tanta e tão espantosa maneira.

E ele mesmo, de seu dinheiro ganho, fingia estar vendendo as terras, cabidamente; dinheiro que mandava, pontual, às filhas e genros, sendo-lhes levado recado, para fazer crer. Ainda bem que genros e filhas nada querendo mais ter com aquela a-pique difícil fazenda, do Tôrto-Alto, senão que mesmo pronto retalhada e vendida, de uma ou vezes. A que, contudo, era a terra das terras, dele — e fria e clara.

Aí, Tio Man'Antônio não pensava o que pensava. Amerceamento justo — ou era a locura e tanta? O grande movimento é a volta. Agora, pelos anos adiante, ele não seria dono mais de nada, com que estender cuidados. A quem e de quem os fundos perigosos do mundo e os às-nuvens pináculos dos montes? — *"Faz de conta, gente minha... Faz de conta..."* — era o que dava, e quando, embora, no que em dizer essas palavras; não sorria, sengo.

Seus tantos servos, os benevolenciados, irreconheciam-no. Vai, ao ver, porém, que valia, a dádiva, rejubilavam-se de rir, mesmo assustados, lentos puladores, se abençoando.

Seus muitos, sequazes homens, que, durante o ignorar de anos, não os tinha de verdade visto consistir — só de ser, servir e viver, como ora e sempre se dá — faziam agora falta à sua necessidade de desígnio? Seus homens, já exigidas partes de um texto, sem decifração.

E tudo Tio Man'Antônio deixando por escrito, da própria e ainda firme mão exarado, feito se em termos de ajuste, conforme quis e pôs; e, quanto a razões e congruências, tendo em vista o parecer do vulgo e as contradições gerais, para matar a dúvida. Em engenhada vigilância, parecia adivinhar o de que seus ex-servidores e ora companheiros pudessem ver-se acusados, pelo que, mais tarde, em rubro serão, viria grandemente a suceder, que se verá. Cuidou disso resguardá-los, mediante declaração a tinta, por trás da data, tempos antes do depois.

De seu, nada conservara, a não ser a antiga, forme e enorme casa, naquela eminência arejada, edifício de prospecto decoroso e espaçoso: e de onde o tamanho do mundo se fazia maior, transclaro, sempre com um fundo de engano, em seus ocultos fundamentos. Nada. Talvez não. Fazia de conta nada ter; fazia-se, a si mesmo, de conta. Aos outros — amasse-os — não os compreendesse.

Faziam de conta que eram donos, esses outros, se acostumavam. Não o compreendiam. Não o amavam, seguramente, já que sempre teriam de temer sua oculta pessoa e respeitar seu valimento, ele em paço acastelado, sempre majestade. Por que, então não se ia embora então, de toda vez, o caduco maluco estafermo, espantalho? Sábio, sedentariado, queria que progredissem e não se perdessem, vigiava-os, de graça ainda administrava-os, deles gestor, capataz, rendeiro. Serviam-no, ainda e mesmo assim. Mas, decerto, milenar e animalmente, o odiavam.

Tio Man'Antônio, rumo a tudo, à senha do secreto, se afastava — dele a ele e nele. Nada interrogava mais — horizonte e enfim — de cume a cume. Pelo que vivia, tempo agüentado, ele fazia, alta e serena, fortemente, o não-fazer-nada, acertando-se ao vazio, à redesimportância; e pensava o que pensava. Se de nunca, se de quando.

Em meio ao que, àquilo, deu-se. Deu — o indeciso passo, o que não se pode seguir em idéia. Morreu, como se por um furo de agulha um fio. Morreu; fez de conta. Neste ponto, acharam-no, na rede, no quarto menor, sozinho de amigo ou amor — transitoriador — príncipe e só, criatura do mundo.

Ai-de, ao horror de tanto, atontavam-se e calaram-se, todos, no amedronto de que um homem desses, serafim, no leixamento pudesse finar-se; e temessem, com sagrado espanto e quase de não de seu ciente ódio, que, por via de tal falecer, enormidade de males e absurdos castigos vingassem a se desencadear, recairiam desabados sobre eles e seus filhos.

Desde, porém, porque morreu, deviam reverenciá-lo, honrando-o no usual — corpo, humano e hereditário, menos que trôpego. Acenderam-se em quadro as grandes velas, ele num duro terno de sarja cor de ameixa e em pretas botas achadas, colocado longo na mesa, na maior sala da Casa, já requiescante. E tinham ainda de expedir positivos e recados, para que mais gente viesse, toda, parentes e ausentes, os possíveis, avizinhados e distantes. Chorou-se, também, na varanda. Tocou-se o sino.

A obrigação cumprida à justa, à noitinha incendiou-se de repente a Casa, que desaparecia. Outros, também, à hora, por certo que lá dentro deveriam de ter estado; mas porém ninguém.

Assim, a vermelha fogueira, tresenorme, que dias iria durar, mor subia e rodava, no que estalava, septo a septo, coisa a coisa, alentada, de plena evidência. Suas labaredas a cada usto agitando um vento, alto sacudindo no ar as poeiras de estrume dos currais, que também se queimavam, e assim a quadraginta escada, o quente jardim dos limoeiros. Derramados, em raio de légua, pelo ar, fogo, faúlhas e restos, por pirambeiras, gargantas e cavernas, como se, esplendidissimamente, tão vã e vagalhã, sobre asas, a montanha inteira ardesse. O que era luzência, a clara, incôngrua claridade, seu tétrico radiar, o qual traspassava a noite.

Ante e perante, à distância, em roda, mulheres se ajoelhavam, e homens que pulando gritavam, sebestos, diabruros, aos miasmas, indivíduos. De cara no chão se prostravam, pedindo algo e nada, precisados de paz.

Até que, ele, defunto, consumiu-se a cinzas — e, por elas, após, ainda encaminhou-se, senhor, para a terra, gleba tumular, só; como as conseqüências de mil atos, continuadamente.

Ele — que como que no Destinado se convertera — Man'Antônio, meu Tio.

O cavalo que bebia cerveja

Essa chácara do homem ficava meio ocultada, escurecida pelas árvores, que nunca se viu plantar tamanhas tantas em roda de uma casa. Era homem estrangeiro. De minha mãe ouvi como, no ano da espanhola, ele chegou, acautelado e espantado, para adquirir aquele lugar de todo defendimento, e a morada, donde de qualquer janela alcançasse de vigiar a distância, mãos na espingarda; nesse tempo, não sendo ainda tão gordo, de fazer nojo. Falavam que comia a quanta imundície: caramujo, até rã, com as braçadas de alfaces, embebidas num balde de água. Ver, que almoçava e jantava, da parte de fora, sentado na soleira da porta, o balde entre suas grossas pernas, no chão, mais as alfaces; tirante que, a carne, essa, legítima de vaca, cozinhada. Demais gastasse era com cerveja, que não bebia à vista da gente. Eu passava por lá, ele me pedia: — *"Irivalíni, bisonha outra garrafa, é para o cavalo..."* Não gosto de perguntar, não achava graça. Às vezes eu não trazia, às vezes trazia, e ele me indenizava o dinheiro, me gratificando. Tudo nele me dava raiva. Não aprendia a referir meu nome direito. Desfeita ou ofensa, não sou o de perdoar — a nenhum de nenhuma.

Minha mãe e eu sendo das poucas pessoas que atravessávamos por diante da porteira, para pegar a pinguela do riacho. — *"Dei'stá, coitado, penou na guerra..."* — minha mãe explicando. Ele se rodeava de diversos cachorros, graúdos, para vigiarem a chácara. De um, mesmo não gostasse, a gente via, o bicho em sustos, antipático — o menos bem tratado; e que fazia, ainda assim, por não se arredar de ao pé dele, que estava, a toda a hora, de desprezo, chamando o endiabrado do cão: por nome *"Mussulino"*. Eu remoía o rancor: de que, um homem desses, cogotudo, panturro, rouco de catarros, estrangeiro às náuseas — se era justo que possuísse o dinheiro e estado, vindo comprar terra cristã, sem honrar a pobreza dos outros, e encomendando dúzias de cerveja, para pronunciar a feia fala. Cerveja? Pelo fato, tivesse seus cavalos, os quatro ou três, sempre descansados, neles não amontava, nem agüentasse montar. Nem caminhar, quase, não conseguia. Cabrão! Parava pitando, uns charutos pequenos, catinguentos, muito mascados e babados. Merecia um bom corrigimento. Sujeito sistemático, com sua casa fechada, pensasse que todo o mundo era ladrão.

Isto é, minha mãe ele estimava, tratava com as benevolências. Comigo, não adiantava — não dispunha de minha ira. Nem quando minha mãe grave adoeceu, e ele ofertou dinheiro, para os remédios. Aceitei; quem é que vive de não? Mas não agradeci. Decerto ele tinha remorso, de ser estrangeiro e rico. E, mesmo, não adiantou, a santa de minha mãe se foi para as escuridões, o danado do homem se dando de pagar o enterro. Depois, indagou se eu queria vir trabalhar para ele. Sofismei, o quê. Sabia que sou sem temor, em meus altos, e que enfrento uns e outros, no lugar a gente pouco me encarava. Só se fosse para ter a minha proteção, dia e noite, contra os issos e vindiços. Tanto, que não me deu nem meio serviço por cumprir, senão que eu era para burliquear por lá, contanto que com as armas. Mas, as compras para ele, eu fazia. — *"Cerveja, Irivalíni. É para o cavalo..."* — o que dizia, a sério, naquela língua de bater ovos. Tomara ele me xingasse! Aquele homem ainda havia de me ver.

Do que mais estranhei, foram esses encobrimentos. Na casa, grande, antiga, trancada de noite e de dia, não se entrava; nem para comer, nem para cozinhar. Tudo se passava da banda de cá das portas. Ele mesmo, figuro que raras vezes por lá se introduzia, a não ser para dormir, ou para guardar a cerveja — *ah, ah, ah* — a que era para o cavalo. E eu, comigo: — *"Tu espera, porco, para se, mais dia menos dia, eu não estou bem aí, no haja o que há!"* Seja que, por essa altura, eu devia ter procurado as corretas pessoas, narrar os absurdos, pedindo providências, soprar minhas dúvidas. O que fácil não fiz. Sou de nem palavras. Mas, por aí, também, apareceram aqueles — os de fora.

Sonsos os dois homens, vindos da capital. Quem para eles me chamou, foi o seo Priscílio, subdelegado. Me disse: — *"Reivalino Belarmino, estes aqui são de autoridade, por ponto de confiança."* E os de fora, me pegando à parte, puxaram por mim, às muitas perguntas. Tudo, para tirar tradição do homem, queriam saber, em pautas ninharias. Tolerei que sim; mas nada não fornecendo. Quem sou eu, quati, para cachorro me latir? Só cismei escrúpulos, pelas más caras desses, sujeitos embuçados, salafrados também. Mas, me pagaram, o bom quanto. O principal deles dois, o de mão no queixo, me encarregou: que, meu patrão, sendo homem muito perigoso, se ele vivia mesmo sozinho? E que eu reparasse, na primeira ocasião, se ele não tinha numa perna, em baixo, sinal velho de coleira, argolão de ferro, de criminoso fugido de prisão. Pois sim, piei prometi.

Perigoso, para mim? — *ah, ah.* Pelo que, vá, em sua mocidade, podendo ter sido homem. Mas, agora, em pança, regalão, remanchão, somente quisesse a cerveja — para o cavalo. Desgraçado, dele. Não que eu me queixasse, por mim, que nunca apreciei cerveja; gostasse, comprava, bebia, ou pedia, ele mesmo me dava. Ele falava que também não gostava, não. De verdade. Consumia só a quantidade de alfaces, com carne, boquicheio, enjooso, mediante muito azeite, lambia que espumava. Por derradeiro, estava meio estramontado, soubesse da vinda dos de fora? Marca de escravo em perna dele, não observei, nem fiz por isso. Sou lá serviçal de meirinho-mor, desses, escogitados, de tantos visares? Mas eu queria jeito de entender, nem que por uma fresta, aquela casa, debaixo de chaves, espreitada. Os cachorros já estando mansos amigáveis. Mas, parece que seo Giovânio desconfiou. Pois, por minha hora de surpresa, me chamou, abriu a porta. Lá dentro, até fedia a coisa sempre em tampa, não dava bom ar. A sala, grande, vazia de qualquer amobiliado, só para espaços. Ele, nem que de propósito, me deixou olhar à minha conta, andou comigo, por diversos cômodos, me satisfiz. Ah, mas, depois, cá comigo, ganhei conselho, ao fim da idéia: e os quartos? Havia muitos desses, eu não tinha entrado em todos, resguardados. Por detrás de alguma daquelas portas, pressenti bafo de presença — só mais tarde? Ah, o carcamano queria se birbar de esperto; e eu não era mais?

Demais que, uns dias depois, se soube de ouvidos, tarde da noite, diferentes vezes, galopes no ermo da várzea, de cavaleiro saído da porteira da chácara. Pudesse ser? Então, o homem tanto me enganava, de formar uma fantasmagoria, de lobisomem. Só aquela divagação, que eu não acabava de entender, para dar razão de alguma coisa: se ele tivesse, mesmo, um estranho cavalo, sempre escondido ali dentro, no escuro da casa?

Seo Priscílio me chamou, justo, outra vez, naquela semana. Os de fora estavam lá, de colondria, só entrei a meio na conversa; um deles dois, escutei que trabalhava para o "Consulado". Mas contei tudo, ou tanto, por vingança, com muito caso. Os de fora, então, instaram com o seo Priscílio. Eles queriam permanecer no oculto, seo Priscílio devia de ir sozinho. Mais me pagaram.

Eu estava por ali, fingindo não ser nem saber, de mão-posta. Seo Priscílio apareceu, falou com seo Giovânio: se que estórias seriam aquelas, de um cavalo beber cerveja? Apurava com ele, apertava. Seo Giovânio permanecia muito cansado, sacudia devagar a cabeça, fungando o escorrido do nariz, até o toco do charuto; mas não fez mau rosto ao outro. Passou muito a mão na testa: — *"Lei, quer ver?"* Saiu, para surgir com um cesto com as garrafas cheias, e uma gamela, nela despejou tudo, às espumas. Me mandou buscar o cavalo: o alazão canela-clara, bela-face. O qual — era de se dar a fé? — já avançou, avispado, de atreitas orelhas, arredondando as ventas, se lambendo: e grosso bebeu o rumor daquilo, gostado, até o fundo; a gente vendo que ele já era manhudo, cevado naquilo! Quando era que tinha sido ensinado, possível? Pois, o cavalo ainda queria mais e mais cerveja. Seo Priscílio se vexava, no que agradeceu e se foi. Meu patrão assoviou de esguicho, olhou para mim: — *"Irivalíni, que estes tempos vão cambiando mal. Não laxa as armas!"* Aprovei. Sorri de que ele tivesse as todas manhas e patranhas. Mesmo assim, meio me desgostava.

Sobre o tanto, quando os de fora tornaram a vir, eu falei, o que eu especulava: que alguma outra razão devia de haver, nos quartos da casa. Seo Priscílio, dessa vez, veio com um soldado. Só pronunciou: que queria revistar os cômodos, pela justiça! Seo Giovânio, em pé de paz, acendeu outro charuto, ele estava sempre cordo. Abriu a casa, para seo Priscílio entrar, o soldado; eu, também. Os quartos? Foi direto a um, que estava duro de trancado. O do pasmoso: que, ali dentro, enorme, só tinha o singular — isto é, a coisa a não existir! — um cavalão branco, empalhado. Tão perfeito, a cara quadrada, que nem um de brinquedo, de menino; reclaro, branquinho, limpo, crinado e ancudo, alto feito um de igreja — cavalo de São Jorge. Como podiam ter trazido aquilo, ou mandado vir, e entrado ali acondicionado? Seo Priscílio se desenxaviu, sobre toda a admiração. Apalpou ainda o cavalo, muito, não achando nele oco nem contento. Seo Giovânio, no que ficou sozinho comigo, mascou o charuto: — *"Irivalíni, pecado que nós dois não gostemos de cerveja, hem?"* Eu aprovei. Tive a vontade de contar a ele o que por detrás estava se passando.

Seo Priscílio, e os de fora, estivessem agora purgados de curiosidades. Mas eu não tirava o sentido disto: e os outros quartos, da casa, o atrás de portas? Deviam ter dado a busca por inteiro, nela, de uma vez. Seja que eu não ia lembrar esse rumo a eles, não sou mestre de quinaus. Seo Giovânio conversava mais comigo, banzativo: — *"Irivalíni, eco, a vida é bruta, os homens são cativos..."* Eu não queria perguntar a respeito do cavalo branco, frioleiras, devia de ter sido o dele, na guerra, de suma estimação. — *"Mas, Irivalíni, nós gostamos demais da vida..."* Queria que eu comesse com ele, mas o nariz dele pingava, o ranho daquele monco, fungando, em mal assôo, e ele fedia a charuto, por todo lado. Coisa terrível, assistir aquele homem, no não dizer suas lástimas. Saí, então, fui no seo Priscílio, falei: que eu não queria saber de nada, daqueles, os de fora, de coscuvilho, nem jogar com o pau de dois bicos! Se tornassem a vir, eu corria com eles, despauterava, escaramuçava — alto aí! — isto aqui é Brasil, eles também eram estrangeiros. Sou para sacar faca e arma. Seo Priscílio sabia. Só não soubesse das surpresas.

Sendo que foi de repente. Seo Giovânio abriu de em par a casa. Me chamou: na sala, no meio do chão, jazia um corpo de homem, debaixo de lençol. — *"Josepe, meu irmão"...* — ele me disse, embargado. Quis o padre, quis o sino da igreja para badalar as vezes dos três dobres, para o tristemente. Ninguém tinha sabido nunca o qual irmão, o que se fechava escondido, em fuga da comunicação das pessoas. Aquele enterro foi muito conceituado. Seo Giovânio pudesse se gabar, ante todos. Só que, antes, seo Priscílio chegou, figuro que os de fora a ele tinham prometido dinheiro; exigiu que se levantasse o lençol, para examinar. Mas, aí, se viu só o horror, de nós todos, com caridade de olhos: o morto não tinha cara, a bem dizer — só um buracão, enorme, cicatrizado antigo, medonho, sem nariz, sem faces — a gente devassava alvos ossos, o começo da goela, gargomilhos, golas. — *"Que esta é a guerra..."* — seu Giovânio explicou — boca de bobo, que se esqueceu de fechar, toda doçuras.

Agora, eu queria tomar rumo, ir puxando, ali não me servia mais, na chácara estúrdia e desditosa, com o escuro das árvores, tão em volta. Seo Giovânio estava da banda de fora, conforme seu costume de tantos anos. Mais achacoso, envelhecido, subitamente, no trespassamento da manifesta dor. Mas comia, sua carne, as cabeças de alfaces, no balde, fungava. — *"Irivalíni... que esta vida... bisonha. Caspité?"* — perguntava, em todo tom de canto. Ele avermelhadamente me olhava. — *"Cá eu pisco..."* — respondi. Não por nojo, não dei um abraço nele, por vergonha, para não ter também as vistas lagrimadas. E, então, ele fez a mais extravagada coisa: abriu cerveja, a que quanta se espumejasse. — *"Andamos, Irivalíni, contadino, bambino?"* — propôs. Eu quis. Aos copos, aos vintes e trintas, eu ia por aquela cerveja, toda. Sereno, ele me pediu para levar comigo, no ir-m'embora, o cavalo — alazão bebedor — e aquele tristoso cachorro magro, *Mussulino*.

Não avistei mais o meu Patrão. Soube que ele morreu, quando em testamento deixou a chácara para mim. Mandei erguer sepulturas, dizer as missas, por ele, pelo irmão, por minha mãe. Mandei vender o lugar, mas, primeiro, cortarem abaixo as árvores, e enterrar no campo o trem, que se achava, naquele referido quarto. Lá nunca voltei. Não, que não me esqueço daquele dado dia — o que foi uma compaixão. Nós dois, e as muitas, muitas garrafas, na hora cismei que um outro ainda vinha sobrevir, por detrás da gente, também, por sua parte: o alazão façalvo; ou o branco enorme, de São Jorge; ou o irmão, infeliz medonhamente. Ilusão, que foi, nenhum ali não estava. Eu, Reivalino Belarmino, capisquei. Vim bebendo as garrafas todas, que restavam, faço que fui eu que tomei consumida a cerveja toda daquela casa, para fecho de engano.

Um moço muito branco

Na noite de 11 de novembro de 1872, na comarca do Serro Frio, em Minas Gerais, deram-se fatos de pavoroso suceder, referidos nas folhas da época e exarados nas Efemérides. Dito que um fenômeno luminoso se projetou no espaço, seguido de estrondos, e a terra se abalou, num terremoto que sacudiu os altos, quebrou e entulhou casas, remexeu vales, matou gente sem conta; caiu outrossim medonho temporal, com assombrosa e jamais vista inundação, subindo as águas de rio e córregos a sessenta palmos da plana. Após os cataclismos, confirmou-se que o terreno, em raio de légua, mudara de feições: só escombros de morros, grotas escancaradas, riachos longe transportados, matos revirados pelas raízes, solevados novos montes e rochedos, fazendas sovertidas sem resto — rolamentos de pedra e lama tapando o estado do chão. Mesmo a distância do astroso arredor, a muita criatura e criação pereceu, soterradas ou afogadas. Outros vagavam ao deusdar, nem sabendo mais, no avesso, os caminhos de outrora.

Donde, no termo de semana, dia de São Félix, confessor, o caso de vir ao pátio da Fazenda do Casco, de Hilário Cordeiro, com sede quase dentro da rua do Arraial do Oratório, um coitado fugitivo desses, decerto persuadido da fome: o moço, pasmo. O que foi quando subitamente, e era moço de distintas formas, mas em lástima de condições, sem o restante de trapos com que se compor, pelo que enrolado em pano, espécie de manta de cobrir cavalos, achada não se supõe onde; e, assim em acanho, foi ele avistado, de muito manhã, aparecendo e se escondendo por detrás do cercado das vacas. Tão branco; mas não branquicelo, senão que de um branco leve, semidourado de luz: figurando ter por dentro da pele uma segunda claridade. Sobremodo se assemelhava a esses estrangeiros que a gente não depara nem nunca viu; fazia para si outra raça. Seja que da maneira ainda hoje se conta, mas transtornado incerto, pelo decorrer do tempo, porquanto narrado por filhos ou netos dos que eram rapazes, quer ver que meninos, quando em boa hora o conheceram.

Hilário Cordeiro, sendo homem cordial para os pobres, temente e bom, e mais ainda nesse pós-tempo de calamidade, em que parentes dele mesmo tinham sofrido morte e arrasos totais, não duvidou em lhe deferir hospedamento, cuidando de adequar-lhe roupa e botinas, desde lhe dar o de comer. E o que era mister de benemerência, porquanto o moço, com os sustos e baques, passara por desgraça extraordinária: perdida a completa memória de si, sua pessoa, além do uso da fala. Esse moço, pois, para ele sendo igual matéria o futuro que o passado? Nada ouvindo, não respondia, nem que não, nem que sim; o que era coisa de compaixão e lamentosa. Nem fizesse por entender, isto é, entendia, às vezes ao contrário, os gestos. Dado que uma graça já devia de ter, não se lhe podia pôr outro nome, não adivinhado; nem se soubesse de que geração fosse — o filho de nenhum homem.

De tanto que chegou lá, e nos dias, compareceram os vários moradores, por sua causa, de há-de o que achassem. Tonto, não era. Só aquela intenção sonhosa, o certo cansaço do ar. Surpreendente, contudo, o que assaz observava, resguardado, até espreitasse por miúdo os vezos de coisas e pessoas; o que, porém, melhor se viu pelo depois. Gostou-se dele. Quiçá mais o preto José Kakende, escravo meio alforriado de um músico sem juízo, e ele próprio de idéia conturbada; por último, então, delirado varrido, pelo fato de padecidos os grandes pavores, no lugar do Condado: girava agora por aqui e ali, a pronunciar advertências e desorbitadas sandices — querendo pôr em pé de verdade portentosa aparição que teria enxergado, nas margens do Rio do Peixe, na véspera das catástrofes. Do moço, pois, só não se engraçou, antes já de abinício o malquerendo — e o reputando por vago e malfeitor a rebuço, digno, noutros tempos, de degredo em África e nos ferros de el-rei — um chamado Duarte Dias, pai da mais bela moça, por nome Viviana; e do qual se sabia ser homem de gênio forte, além de maligno e injusto, sobre prepotências: naquele coração não caía nunca uma chuvinha. Não se lhe deu exata atenção.

Mas levaram o moço à missa, e ele portou-se, não fez modos de crer nem increr. Cantoria e músicas do coro, escutasse, no sério sentimental. Triste, dito, não; mas: como se conseguisse, em si, mais saudade que as demais pessoas, saudade inteirada, a salvo do entendimento, e que por tanto se apurava numa maior alegria — coração de cão com dono. Seu sorriso às vezes parava, referido a outro lugar, outro tempo. Sorrindo mais com o rosto, senão com os olhos; suposto que nunca se lhe viram os dentes. Padre Bayão, antes de com ele bondosamente conferir, de improviso lhe representou diante o signo-da-cruz: e ele não mostrou o desagrado da matéria. Estava nas altas atmosferas, aumentava sua presença. *"Comparados com ele, nós todos, comuns, temos os semblantes duros e o aspecto de má fadiga constante."* Traços estes consignados pelo mesmo padre, em carta de punho e firma, para testemunho do esquisito, ao cônego Lessa Cadaval, da Sé de Mariana. Na qual igualmente dá menção do preto José Kakende, que na mesma ocasião se lhe acercou, com altas e despauteradas falas, por impor sua visão da beira do rio: ...*"o rojo de vento e grandeza de nuvem, em resplandor, e nela, entre fogo, se movendo uma artimanha amarelo-escura, avoante trem, chato e redondo, com redoma de vidro sobreposta, azulosa, e que, pousando, de dentro, desceram os Arcanjos, mediante rodas, labaredas e rumores.*" E, com o mesmo risonho José Kakende, veio Hilário Cordeiro trazendo de volta para casa o moço, num extrato de desvelo, como se o vero pai dele fosse.

Mas à porta da igreja se achava um cego, Nicolau, pedidor, o qual, o moço em o vendo, olhou-o sem medida e entregadamente — contam que seus olhos eram cor-de-rosa! — e foi em direitura a ele, dando-lhe rápida partícula, tirada da algibeira. Ora, estando o cego debaixo do sol, e corrido de suor, a almas cristãs devia de causar meditação o contraste de tanto padecer o calor do astro-rei aquele que nem as belezas da luz podia gozar. O cego, apalpando a dádiva na mão, em guisa de cogitar em que estúrdia casta de moeda ela consistisse, e se dissertando logo que nenhuma, a levou prestes à boca; ao que, seu menino guia o advertiu: que não seria artigo de se comer, mas espécie de caroço de árvore. Então o cego guardou, com irados ciúmes e por diversos meses, aquela semente, que só foi plantada após o remate dos fatos aqui ainda por narrar: e deu um azulado pé de flor, da mais rara e inesperada: com entreaspecto de serem várias flores numa única, entremeadas de maneira impossível, num primor confuso, e, as cores, ninguém a respeito delas concordou, por desconhecidas no século; definhada, com pouco, e secada, sem produzir outras sementes nem mudas, e nem os insetos a sabiam procurar.

No que, porém, acabada de se passar aquela cena, surgia no adro Duarte Dias, mais uns companheiros e serviçais, para opor a surpresa de uma exigência e fazer problema: queria carregar consigo o moço, sobre fundamento de que, pela brancura da tez e delicadezas mais, devia de ser um dos Rezendes, seus parentes, desaparecidos no Condado, no terremoto; e que, pois, até o reconhecimento de alguma notícia, competia-lhe o ter em custódia, pelo costume. Sendo que Hilário Cordeiro pronto contestou o postulado, e o argumento por um nada terminava em desavença séria, Duarte Dias porfiando e se excedendo, do que só tornou em si ante o parecer de Quincas Mendanha, do Serro, notável na política e provedor da Irmandade.

E, todavia, de seu zelo, mais para diante, Hilário Cordeiro iria ter melhor razão, eis que tudo lhe passou a dar sorte, quer na saúde e paz, em sua casa, seja no assaz prosperar dos negócios, cabedais e haveres. E não que o moço lhe facultasse ajuda, na sujeição de serviço ou no vagar a algum ofício, em que, de feito, nem pudesse dar descargo de si — com as mãos não calejadas, alvas e finas, de homem-de-palácio. Ele andava muito na lua, passeava por todo o lugar e alhonde, praticando aquela liberdade vaporosa e o espírito de solidão; parecesse alquebrado de um feitiço, segundo os dizeres do povo. Não embargando que grandes partes tivesse, para o que fosse de funções de engenhos, ferramentas e máquinas, ao que se prestava, fazendo muitas invenções e desembaraçando as ocasiões, ladino, cuidoso e acordado. De estranha memória, só, pois, a de olhar ele sempre para cima, o mesmo para o dia que para a noite — espiador de estrelas. Que vezes, porém, mais lhe prouvesse o divertimento de acender fogos, sendo de reparo o quanto se influiu, pelo São João, nas tantas e tamanhas fogueiras de festa.

Do que adveio, justo, o caso da moça Viviana, sempre mal contado. O que foi quando ele lá apareceu, acompanhado do preto José Kakende, e deu com a moça, mui bonita, mas que não se divertia ao igual das outras: e ele se chegou muito a ela, gentil e espantoso, lhe pôs a palma da mão no seio, delicadamente. Ora, sendo assim a moça Viviana a mais formosa, tinha-se para admirar que a beleza do feitio lhe não servisse para transformar, no interior, a própria e vagarosa tristeza. Mas, Duarte Dias, o pai, e que a isso assitia, prorrompeu em pleiteantes brados de: — "Tem que casar! Agora, tem de casar!" — com instância. Afirmava que o moço era homem, e um, e ainda mancebo, e lhe infamara a filha, devendo-lhe de a tomar por consorte e arcar com o estado de casado. O moço ouvia, de boa concórdia, e nem por isso. Mas a grita de Duarte Dias só teve termo, quando o padre Bayão, e outros dos mais velhos, lhe rejeitaram tão descabidas fúrias e insensatez. Também a moça Viviana, com radiosos sorrisos, o serenava. Ela, que, a partir dessa hora, despertou em si um enfim de alegria, para todo o restante de sua vida, donde um dom. Apenas que, Duarte Dias — o que não se entende — ia produzir ainda outros lances de estupefacção, eis-aqui.

De tal guisa que, para o alvoroço de todos, no dia da missa da Dedicação de Nossa Senhora das Neves e vigília da Transfiguração, 5 de agosto, ele veio à Fazenda do Casco, requerendo falar com Hilário Cordeiro. Também o moço lá estava. Outrovisto, e nunca desairoso — a gente espiava, e pensava num logo luar. Então, Duarte Dias declarou: suplicava deixassem-no levar o moço, para sua casa. Que queria assim, e necessitava, muito, não por ambicioneiro ou impostor, nem por interesses somenos, mas por a ele ter cobrado, com contrições de escrúpulo, a fortíssima estima de afeição! Dizia, e desgovernava as palavras, alterado, enquanto que dos olhos lhe corriam bastas lágrimas. Ora, não se compreendendo o descabelo de passo tão contrariado: o de um homem que, para manifestar o amor, ainda não dispunha mais que dos arrebatados meios e modos da violência. Mas, o moço, claro como o olho do sol, o pegou da mão, e, com o preto José Kakende, o foi conduzindo pelos campos — depois se soube que a terras dele mesmo, Duarte, aonde à tapera de uma olaria. E lá indicou que mandasse cavar: com o que se achou, ali, uma grupiara de diamantes; ou um panelão de dinheiro, segundo diversa tradição. Por arte de qual prodígio, Duarte Dias pensou que ia virar riquíssimo, e mudado de fato esteve, da data por diante, em homem sucinto, virtuoso e bondoso, suspendentemente, consoante o asseverar sobremaravilhado dos coevos.

Mas, por contra, no dia da venerada Santa Brígida, de voz comum de novo dele se soube: o moço, plácido. Disse-se, que saíra, na véspera, de paragem, pelos altos, num de seus desapareceres; era um tempo de trovoadas secas. José Kakende contava somente que o ajudara a acender, de secreto, com formato, nove fogueiras; e, mais, o Kakende soubesse apenas repetir aquelas suas velhas e divagadas visões — de nuvem, chamas, ruídos, redondos, rodas, geringonça e entes. Com a primeira luz do sol, o moço se fora, tidas asas.

Todos singularmente se deploraram, para nunca, mal em pensando. Duvidavam dos ares e montes; da solidez da terra. Duarte Dias, de dó, veio a falecer; mas a filha, a moça Viviana, conservou sua alegria. José Kakende conversou muito com o cego. Hilário Cordeiro, e outros, diziam experimentar uma saudade e meia-morte, só de imaginarem nele. Ele cintilava ausente, aconteceu. Pois. E mais nada.

Luas-de-mel

NO MAIS, MESMO, DA MESMICE, SEMPRE VEM A NOVIDADE. Naquela véspera, eu andava meio relaxo, fraco; eu já declinava para nãoezas? Nos primeiros de novembro. Sou quase de paz, o quanto posso. Desconto, para trás, o em que me tive, da mocidade: desmandos, desordens e despraças. Daí, depois, da vida a sério, que, cá, de brava, danava-se. Sou remediado lavrador, isto é — de pobre não me sujo, de rico não me emporcalho. Defesa e acautelamento é que não falecem, nesta fazenda Santa-Cruz-da-Onça, de hospitalidades; minha. Aqui é um recanto. Por moleza do calor era que eu ficava a observar. Nesse dia, nada vezes nada. De enfastiado e sem-graça, é que eu comia demais. Do almoço, empós, me remitia, em rede, em quarto. Questão de idade, digestões e saúde: fígado. Sa-Maria Andreza, minha santa e meio passada mulher, ia ferver um chá, já, para o meu empacho. Bom. Seo Fifino, meu filho, banda de fora da porta, noticiou: que tendo chegado certo sujeito, um positivo, com carta. Tomei pausa. Prestezas e pressas não me agravavam.

Seo Fifino, filho meu, lôrpa nem sonsado não sendo, me explicando ele estava: que esse-um aportara tão em socapa, que só se notou quando já estacado, a cavalo, atrás do engenho, nem os cachorros tendo latido, nem feito ele ranger porteira; e que com armas, todo provido, repetição a tiracolo. E, aí, meu capataz, José Satisfeito, soprado informava o nome dele, o qual — o “Baldualdo”. Sou mosquitinho em queixo de onça: não fiz celhas, não dei pasmo. Sabia da fama desse Baldualdo — que valendo um batalhão, com grande e morta freguesia. Por ora, que bem me importava? Donde digo: o meu José Satisfeito, próprio, sido já também um "Zé Sipío", mão no amarelo; para que se me entenda. Nas eras dos tiroteios contra o Major Lidelfonso e seus soldados. Comigo. Eu com ele, e outros. Só a vida é que tem dessas rústicas variedades. Eu ponho a mesa e pago a despesa. Me mexi da rede, vim ver quem. Aquele homem, que chegado. Me olhou, prestes, medido o respeito, reperguntou meu nome por inteiro. A carta, que ele trazia, para me em mãos, era de vera e alta mensagem. Reli, as três e três vezes, o nome que essa assinava: Seo Seotaziano.

E — quero-me com esta! É o que soletreio: *"Estimado meu amigo e compadre..."* Seo Seotaziano, de sua sede distante, os fatos de marca manobrando, com estopim curto e o comprido braço. O chefe demais, homem de grande esfera, tigroso leão feito o canguçu, mas justo e pão de bom, em nobrezas e formato. Meu compadre-mor, mandador, dês que quando. E há que tempos isso fora. Mas, agora, se lembrava deste, aqui, neste ponto, confioso de lealdade. E com caso. Para despautas: o que decerto havia de haver — cachorro, gato e espalhafato. Mas, tenho de segundar, e quero. Se ele riscou, eu talho. Só os resumos, declarados: *"Para um moço e uma moça, lhe peço forte resguardo. O mais se verá, mais tarde."* Essas doidices de amor! — sorri. Saí dos suspensos para os preparos.

No quieto, do que se precisava. Temperar o vir de outras coisas, acomodar os hóspedes, que esperados. Pondo ordens, consoante. Prevenido para valer por quatro. Aquele dia era de sábado. Sobreentendi, com o José Satisfeito, e com o Seo Fifino, meu filho: vai, que, do retiro do Meio, me trouxessem: certos homens; e, dois tantos desses, do Munho, das roças; sempre ainda restassem outros, no hoje por hoje, para o trabalho. Aqueles, porém, aqui à mão; pois, que: a horas competentes, homens de possibilidades. Tendo-se arroz e feijão à-bastança, e cargas de pólvora, chumbo e bala. Sensato, se me se diz. Só em paz, com Deus, sossegado. Sensato, sincero e honrado.

Sa-Maria Andreza, minha mulher, me mirava.

Aquele Baldualdo, decente: — *"Se lhe respraz, meu senhor, por uns dias, aqui, paro..."* — só me disse, baixo, sabendo de cor seu mister. Ele já meu companheiro sendo — por artes dos anjos-da-guarda. Na varanda, caminhei, uns passos, exercitados. Os que por vir, moço e moça? Sa-Maria Andreza, minha correta mulher, os um ou dois quartos arrumasse — toalhas, bem-estar, flores em vasos. Seguro que de noite chegavam, sagazes. — *"Ah, minha velha, vamos tocar rabecas..."* — gracejei, limpando a parabélum. Sa-Maria Andreza, boa companheira, só disse, abanando os topes: — *"Aroeira de mato virgem não alisa..."* Peguei na mão dela, meio afetuoso. Repensei em todas as minhas armas. Ai, ai, a longe mocidade.

Sem ninguém de nós desprevenidos, de fato em meia-noite chegaram. Noivos, amor muito. Ela, era das lindas, suspendendo as atenções; nem eu soube filha de que pai. Só meio assombradazinha, sorrisos desabafados. O moço — rapaz! — dos bons. Vi, com olho imediato. Tinha um rifle longo. Tinha o garbo guapo. Não, inda não eram casal. Cearam. Nada falaram. A moça se recolheu em camarinha, no intemerato da casa; de donzela, com recato. O moço, esse, valeroso, quis se arranchar na casa-do-engenho. Moço esporte de forte. Apreciei. Pude me dar foros de seu pai. Ah, eles tinham viajado vindo sozinhos, como se deve-de, em fugas particulares. Gostei, mais. Após, hora menos hora, foi que outro cabra chegou, que, a eles dois, em boa distância, afiançara proteção, sem eles saberem — a mando também de Seo Seotaziano.

As coisas bem feitas, medidas, como só um grão-capitão concebe. Esse outro se chamava o Bibião, era um brabo de cronha e cano: me tomou a benção. Bom. Tudo em tudo, em ordem, adormeci, consoante, proprietário de meu sono. Como não? Gente minha já galopava, nessa noite e madrugada. Um próprio à Fazenda Congonha, do meu compadre Veríssimo, por três rifles, três homens, emprestados. Pelo seguro. Povo de lá é de brasas. E um à Lagoa-dos-Cavalos, por outros três — para o meu compadre Serejério não se dar de melindrado. Bom. Eu tiro os outros por mim. Com tino e consideração, é que o respeito é granjeado: com honra, sossego e proveito. De encaminhar, me adormeci bem. Só vivo no supracitado.

Amanheci antes do sol, tudo em paz, posses e orvalhos. Admiro essas certezas, do campo, em cheiros, enfeitado; enquanto nada. Sa-Maria Andreza, minha mulher, me cuidava. A ela eu disse: — *"Não me conste quem é esta moça, nem o que tenha revelado."* Não no por ora. Eu não queria saber, que senão pelo precatar: podendo ser filha de conhecido, parente meu ou amigo. Nem adiantava. Nessa hora, sendo fiel, eu era Seo Seotaziano. Nem pelo menos. Herói é no que doi! — bom ditado. Aquele dia, de domingo. Almoçou-se, com-fome-mente, apesardes. A Moça e o Moço, mesmo ante mim, ditosos se contemplavam. Tanta coisa neste mundo, bem feita. Sa-Maria Andreza, minha conservada mulher, em cozinhar se esmerava. Se me se diz, nem pensei: os namoros dessas gentes, são minhas outras mocidades.

A gente se mexendo, tranqüilos, o tempo crescendo, parado. Do jeito, passou-se esse dia, em ouros e copas; enquanto nada. A linda Moça, lá dentro, no oratório rezava. Sa-Maria Andreza, mulher, sinceros carinhos lhe dava. Nós, cá fora. Seo Fifino meu filho desta banda, o Bibião na parte do morro, na ponte do córrego o Baldualdo; com outros e outros homens; mas, de esconso, tão em sutilmentes, que não se avistavam nem notavam. Comigo, juntos, o José Satisfeito, e o Moço noivo, de poucas palavras: andávamos da cava para o valo. Sa-Maria Andreza, minha, por mim também rezasse? Eu — exagerado. Provia, não meditava. Dia e tanto. Deus louvado. Então, veio o anoitecer, as estrelas, às esperadas. Aí, uns pós outros, chegavam, de surtos, os da Fazenda Congonha, e os da Lagoa-dos-Cavalos. Esses, não riam, em armas. Ah, as boas amizades.

Assim mais gente, outra vez, acordou-se antes dos galos. Ali, para a incerta segunda-feira — meio redonda. Dia dos fortes chegares. Primeiro, mais uns dois homens, que Seo Seotaziano enviava. Chefe bravo. Daí, conforme dado aviso, ainda outros, um par de cavaleiros: o sacristão atrás do padre. Ave. O padre, moço, espingarda às costas? Armado de ponto em branco; rifle curto. Se apeou, tudo abençoou, aprestado para o casamentício, que se ia ter: bôdas em casa. Tive de fazer ação de me aprontar, botei minha roupa melhor — pelos momentos. Sa-Maria Andreza, minha mulher, com gosto dispôs o altar. Moço e Moça impavam. Amor é só amor. Airosos. Iam os dois, braço pelo braço. Vejam como são as paixões! Tudo bom, bem bom. Minha Sa-Maria Andreza bem vestida, figuro também que até corada. Sou homem para bandas-de-músicas. O padre disse belas palavras. A essa altura eu já soubesse: a noiva, de que família. Filha do Major João Dioclécio, duro e rico, forte em fato. Essas coisas são friezas... Bom. Dei de ombros. Fecho um campo, e nele eu sopro: destorcidas claridades. Terminada a casação, se saiu do altar para a mesa, passou-se de sala para sala.

Aí, foi o simples banquete, que com tudo e leitão e peru, farofas, pelo costume geral; vinhos. Comeu-se, nós todos e o padre; eu sem fastio nem empachado. Os doces. Cantou-se um coreto. O noivo, de armas na cinta. A noiva uma formosura, conforme com véu e grinalda. A velhice da lã é a sujeira... — eu pensei, consoante, me vendo. Essas delícias de amor! — suspirei, mal em pensando. Eu descia dos vales para os montes. E, inda havendo a cerimônia, meu irmão João Norberto chegando, de longe, de sua fazenda As-Arapongas. Sabida lá a notícia, para me ajudar ele chegava. Trazia maior novidade: — *"Se o Major atacasse com jagunços, Seo Seotaziano vinha descer em cena — à frente de cem de seus homens: dar a retaguarda!"* De glórias, assoviei, sentado. Aquele Moço noivo, gentil, era parente de Seo Seotaziano. Uns de meus cabras tocavam violas. Se dançava?

Olhei minha sadia Sa-Maria Andreza — contemplada.

E essa noite, das maiores! Vieram meus compadres Serejério e Veríssimo, em pessoas. Troço de gente, para levar ao cabo empresas dificultosas. Até o padre disse que ficava: para confessar a quem ou quem, na hora. Só que, na mesa, o livro de rezas, mas, a pistola, do lado. Bom padre, muito virtuoso, amigo de Seo Seotaziano. Agora, a gente esperava o Major Dioclécio e sua jagunçada. — *"Ora, tão certo!"* — se dizia. — *"Essas coisas, quero ver é de noite!"* — outro. Outro: — *"E quem é que apaga a vela?"* Aí, por toda a parte, se me se diz, patrulhas, trincheiras, sentinelas. Passos calados, suaves, tinidos de carabinas. Ah, esta velha fazenda Santa-Cruz-da-Onça, com espinhos para qualquer beiço e goela. Ponto é que, eu, era o chefe. Eu já estava meio sanguinolento: meio arvoado. Eu, com nudezas. Eu — em nome meu e de Seo Seotaziano.

A gente tendo de saroar. Na sala. Nestes bancos e cadeiras. Aqueles lampiões e lamparinas. Todos, os de mando. Que eu, meu irmão João Norberto, compadres Veríssimo e Serejério, e o Nôivo, mais Seo Fifino. Também a Noiva, em seu vestido branco, e Sa-Maria Andreza, mulher minha. Todos e todas. A furupa de homens bons. Que, perto de mim, meu Zé Sipío. E a ceia — o enterro-dos-ossos — com alegria. Homem comendo em pé, o prato na mão; alerta o ouvido. A gente, risonhos de guerra, a qualquer conta. Aqui, o inimigo que viesse! — esses Dioclécios, dianhos. A hora — de fechar os fôlegos. Aqui, a gente esperava — com luz para mil mariposas. E: *manda o tri-o-li-olá...* — se me se diz — *pique-será!* Ninguém viesse? Ao ao-que-é-que-é, estávamos.

A gente, a um passo da morte, valentes, juntos, tantos, bastantes. Ninguém vinha. A Nôiva sorria para o Nôivo, em fofos; essas núpcias. E eu com a mente erradamente, de quem se acha em estado de armado. Com o que outro míngua, eu me sobejo. Minha Sa-Maria Andreza, mulher, me sorria. O que os velhos não podem mais ter: segredinhos, segredados. Ninguém vinha. Madrugar, e galos cantavam. O padre rezou, guerreiro, em destemido prazer das armas. Senti o remerecer, como era de primeiro, nesse venturoso dia. Recebi mais natureza — fonte seca brota de novo — o rebroto, rebrotado. Sa-Maria minha Andreza me mirou com um amor, ela estava bela, remoçada. Nessa noite ninguém vinha? Enquanto nada! Madrugada. O Nôivo se retirou, com a Nôiva; e mais uns, que com mais sono, já estando soprando nas palhas. Resolvemos revezar vigias. Eu, feliz, olhei minha Sa-Maria Andreza; fogo de amor, verbigrácia. Mão na mão, eu lhe dizendo — na outra o rifle empunhado — : — *"Vamos dormir abraçados..."* As coisas que estão para a aurora, são antes à noite confiadas. Bom. Adormecemos.

Amanheci fora de horas, me nascendo dos conchegos. A postos, todos. Aquele dia, a terça-feira. Era o dia? A gente esperava. Meio cuidosos, meio alegres; sérios, sem algazarra. Com que então? Nessas calmas esticadas. E, pois.

E, vai, senão, que, surgiu a nova: um recado. O camarada, vindo com ele, era um serviçal dos Dioclécios: que, hoje, sozinho, nesta data, um patrão vinha me visitar, de passagem. Amistoso. E, virame esta?! E — com quê? Me reuni, mais os chefes companheiros, para comparar as idéias, consoante. A gente chegou à razão: que eles, mais o grosso dos homens e rifles, deviam sair, por um espaço — esperar as coisas no retiro do Meio, daí a meia-légua e nada. Meu irmão João, meus dois compadres, mais o sacristão atrás do padre. Deixar, provisório, sem povo em armas, a minha casa-de-fazenda. Assim, assim, então. Bom. Para não fazer acintes, do que muito me refreio. Pois o homem não vinha sozinho, embaixador, só para a mim me dizer hem-hem? Ameaçar, se queixar, assustar, declarar guerras? Vá o que pois for. Minha porta é para o nascente. Não vejo outra banda. Sou um homem muito leal. Sou o que sou — eu — Joaquim Norberto. Sou o amigo de Seo Seotaziano.

Aqui recebi o homem, nesta porta do que é meu. E ele era um irmão da Nôiva. Conhecido meu, cordial, com o bom aperto-de-mão. Entrou-se. Sentou-se. Severo, sereno, eu estava; sensato, ele, com desempeno. Não vinha embater escândalos, nem produzir inglesias; parecia portar-se em termos. Se à boa mente se conduzisse o negócio? Meu dever e gosto sendo reconciliar, recatar e recompor, como homem-de-bem e chefe-em-armas. Agora, era a desenrolação, do de cá e de lá, de ambas as partes. Me clareei. Convidei o homem para almoçar. E, aí, defini: com meios-modos e trastejos, não se bota e nem se saca. Chamei os Nôivos, para a mesa!

Gente tesa — um par de toda a coragem. Vieram. O homem sorriu, meu visitante. Deu a mão a ela e a ele, disse: — *"Com'passou? Com'passou?"* — em leal estima e franquia. Bom. Comeu-se e conversou-se em diversas matérias. Bom. Aquilo, ao correr do cabelo. Suavemente, com incompletas, ele convidou os dois, para irem com ele: para a benção dos pais e uma festa, que se dava, de tornabôda. Tudo não estava certo e aprovado? Sabendo ele do casamento. Me convidou também, eu mais Sa-Maria querida Andreza. Bom, consoante. Eu, convenientemente, não podendo, pelos fatos. Mas mandei meu filho Seo Fifino, representante; e ele quis, por amor da festa, decidido.

Porque os Nôivos aceitaram de ir, satisfatórios, me agradecendo se despediram. E eu, respondendo pelo direito: — *"Só emendo: abaixo de Deus, só o Seo Seotaziano!"* — disse. O homem, ficado em pé, para sair. E, a ele, direto, pelo seguro, na regra do bem-viver: — *"Sou o padrinho deles dois, no casório, e vou ser o padrinho do primeiro filho deles, se lhes respraz!"* — trovejei que disse, fingindo franco riso. Sempre era bom. E ele não ia me entender? Pouquinha dúvida. Esta vida tem de ser declarada e assinada. O mais, no mais, senão as carabinas!

Da varanda, Sa-Maria Andreza, e eu, nós, a gente contemplava: os cavaleiros, na congracez, em boa ida. Tudo tão terminado, de repente, se me se diz, tudo quitado. Nem guerra, nem mais lua-de-méis, regalo não regalado!

Olhei minha Sa-Maria Andreza, que me olhava. Ai-de. Enquanto nada.

Lá se foram o Baldualdo e o Bibião, também, consoantes. Seo Seotaziano estando servido, e meus deveres concordados. Meu capataz, o José Satisfeito, meio mole fechava a porteira. Aquelas luas-de-mel, tão poucas, assim em assopro de gaita. As passageiras consolações: fazer-de-conta-de-amor, o que era o meu cestinho de carregar água. A gente, agora: sair das desilusões, o entrar em idade. Mas, Seo Fifino, meu filho, um dia devia de roubar uma moça assim — em armas! Sorri, eu, Joaquim Norberto, respeitante. Abracei minha Sa-Maria Andreza, a gente com os olhos desnublados. Se me se diz? E então. Aqui nesta fazenda Santa-Cruz-da-Onça; aqui é um recato. Ah, bom; e semelhante fato foi.

Partida do audaz navegante

Na manhã de um dia em que brumava e chuviscava, parecia não acontecer coisa nenhuma. Estava-se perto do fogo familiar, na cozinha, aberta, de alpendre, atrás da pequena casa. No campo, é bom; é assim. Mamãe, ainda de roupão, mandava Maria Eva estrelar ovos com torresmos e descascar os mamões maduros. Mamãe, a mais bela, a melhor. Seus pés podiam calçar as chinelas de Pele. Seus cabelos davam o louro silencioso. Suas meninas-dos-olhos brincavam com bonecas. Ciganinha, Pele e Brejeirinha — elas brotavam num galho. Só o Zito, este, era de fora; só primo. Meia-manhã chuvosa entre verdes: o fúfio fino borrifo, e a gente fica quase presos, alojados, na cozinha ou na casa, no centro de muitas lamas. Sempre se enxergam o barranco, o galinheiro, o cajueiro grande de variados entortamentos, um pedaço de um morro — e o longe. Nurka, negra, dormia. Mamãe cuida com orgulhos e olhares as três meninas e o menino. Da Brejeirinha, menor, muito mais. Porque Brejeirinha, às vezes, formava muitas artes.

Nesta hora, não. Brejeirinha se instituíra, um azougue de quieta, sentada no caixote de batatas. Toda cruzadinha, traçadas as pernocas, ocupava-se com a caixa de fósforos. A gente via Brejeirinha: primeiro, os cabelos, compridos, lisos, louro-cobre; e, no meio deles, coisicas diminutas: a carinha não-comprida, o perfilzinho agudo, um narizinho que-carícia. Aos tantos, não parava, andorinhava, espiava agora — o xixixi e o empapar-se da paisagem — as pestanas til-til. Porém, disse-se-dizia ela, pouco se vê, pelos entre-fios: — *"Tanto chove, que me gela!"* Aí, esticou-se para cima, dando com os pés em diversos objetos. — *"Ui, ui-te!"* — rolara nos cachos de bananas, seu umbigo sempre aparecendo. Pele ajudava-a a se endireitar. — *"...E o cajueiro ainda faz flores..."* — acrescentou, observava da árvore não se interromper mesmo assim, com essas aguaceirices, de durante dias, a chuvinha no bruaar e a pálida manhã do céu. Mamãe dosava açúcares e farinhas, para um bolo. Pele tentava ajudar, diligentil. Ciganinha lia um livro; para ler ela não precisava virar página.

Ciganinha e Zito nem muito um do outro se aproximavam, antes paravam meio brigados, de da véspera, de uma briguinha grande e feia. Pele é que era a morena, com notáveis olhos. Ciganinha, a menina linda no mundo: retrato miúdo da Mamãe. Zito perpensava assuntos de não ousar dizer, coisas de ciumoso, ele abrira-se à espécie de ciúmes sem motivo de quê ou quem. Brejeirinha pulou, por pirueta. — *"Eu sei por que é que o ovo se parece com um espeto!"* —; ela vivia em álgebra. Mas não ia contar a ninguém. Brejeirinha é assim, não de siso débil; seus segredos são sem acabar. Tem porém infimículas inquietações: — *"Eu hoje estou com a cabeça muito quente..."* — isto, por não querer estudar. Então, ajunta: — *"Eu vou saber geografia."* Ou: — *"Eu queria saber o amor..."* Pele foi quem deu risada. Ciganinha e Zito erguem olhos, só quase assustados. Quase, quase, se entrefitaram, num não encontrar-se. Mas, Ciganinha, que se crê com a razão, muxoxa. Zito, também, não quer durar mais brigado, viera ao ponto de não agüentar. Se, à socapa, mirava Ciganinha, ela de repente mais linda se envoava.

— *"Sem saber o amor, a gente pode ler os romances grandes?"* — Brejeirinha especulava. — *"É, hem? Você não sabe ler nem o catecismo..."* Pele lambava-lhe um tico de desdém; mas Pele não perdia de boazinha e beliscava em doce, sorria sempre na voz. Brejeirinha rebica, picuíca: — *"Engraçada!... Pois eu li as 35 palavras no rótulo da caixa de fósforos..."* Por isso, queria avançar afirmações, com superior modo e calor de expressão, deduzidos de babinhas. — "*Zito, tubarão é* desvairado, *ou é* explícito *ou* demagogo?" Porque gostava, poetista, de importar desses sérios nomes, que lampejam longo clarão no escuro de nossa ignorância. Zito não respondia, desesperado de repente, controversioso-culposo, sonhava ir-se embora, teatral, debaixo de chuva que chuva, ele estalava numa raiva. Mas Brejeirinha tinha o dom de apreender as tenuidades: delas apropriava-se e refletia-as em si — a coisa das coisas e a pessoa das pessoas. — *"Zito, você podia ser o pirata inglório marujo, num navio muito intacto, para longe, lo-õ-onge no mar, navegante que o nunca-mais, de todos?"* Zito sorri, feito um ar forte. Ciganinha estremecera, e segurou com mais dedos o livro, hesitada. Mamãe dera a Pele a terrina, para ela bater os ovos.

Mas Brejeirinha punha mão em rosto, agora ela mesma empolgada, não detendo em si o jacto de contar: — *"O Aldaz Navegante, que foi descobrir os outros lugares valetudinário. Ele foi num navio, também, falcatruas. Foi de sozinho. Os lugares eram longe, e o mar. O Aldaz Navegante estava com saudade, antes, da mãe dele, dos irmãos, do pai. Ele não chorava. Ele precisava respectivo de ir. Disse:* — "Vocês vão se esquecer muito de mim?" *O navio dele, chegou o dia de ir. O Aldaz Navegante ficou batendo o lenço branco, extrínseco, dentro do indo-se embora do navio. O navio foi saindo do perto para o longe, mas o Aldaz Navegante não dava as costas para a gente, para trás. A gente também inclusive batia os lenços brancos. Por fim, não tinha mais navio para se ver, só tinha o resto de mar. Então, um pensou e disse:* — "Ele vai descobrir os lugares, que nós não vamos nunca descobrir..." *Então e então, outro disse:* — "Ele vai descobrir os lugares, depois ele nunca vai voltar..." *Então, mais, outro pensou, pensou, esférico, e disse:* — "Ele deve de ter, então, a alguma raiva de nós, dentro dele, sem saber..." *Então, todos choraram, muitíssimos, e voltaram tristes para casa, para jantar..."*

Pele levantou a colher: — *"Você é uma analfabetinha 'aldaz'."* — *"Falsa a beatinha é tu!"* — Brejeirinha se malcriou. — *"Por que você inventa essa história de de tolice, boba, boba?"* — e Ciganinha se feria em zanga. — *"Porque depois pode ficar bonito, uê!"* Nurka latira. Mamãe também estava brava? Porque Brejeirinha topara o pé em cafeteiras, e outras. Disse ainda, reflexiva: — *"Antes falar bobagens, que calar besteiras..."* Agora, fechou os olhos que verdes, solene arrependida de seu desalinho de conduta. Só ouvirá o rumorejo da chuvinha, que estarão fritando.

A manhã é uma esponja. Decerto, porém, Pele rezara os dez responsos a Santo Antônio, tãoquanto batia os ovos. Porque estourou manso o milagre. O tempo temperou. Só era março — compondo suas chuvas ordinárias. Ciganinha e Zito se suspiravam. Soltavam-se as galinhas do galinheiro, e o peru. Saía-se, ao largo, Nurka. O céu tornava a azul?

Mamãe ia visitar a doente, a mulher do colono Zé Pavio. — *"Ah, e você vai conosco ou sem-nosco?"* — Brejeirinha perguntava. Mamãe, por não rir nem se dar de alheada, desferia chufas meigas: — *"Que nossa vergonha!..."* — e a dela era uma voz de vogais doçuras. A manhã se faz de flores. Então, pediu-se licença de *ir* espiar o riachinho cheio. Mamãe deixava, elas não eram mais meninas de agarra-a-saia. De impulso, se alegraram. Só que alguém teria de junto ir, para não se esquecerem de não chegar perto das águas perigosas. O rio, ali, é assaz. Se o Zito não seria, próprio, essa pessoa de acompanhar, um meiozinho-homem, leal de responsabilidades? Cessou-se a cerração do ar. Mas tinham de vestir outras roupas quentes. — *"Oh, as grogrolas!"* Brejeirinha de alegria ante todas, feliz como se, se, se: menina só ave. — *"Vão com Deus!"* — Mamãe disse, profetisa, com aquela voz voável. Ela falava, e choviam era bátegas de bênçãos. A gentezinha separou-se.

A ir lá, o caminho primeiro subia, subvexo, a ladeirinha do combro, colinola. Tão mesmo assim, os dois guarda-chuvas. Num — avante — Brejeirinha e Pele. Debaixo do outro, Zito e Ciganinha. Só os restos da chuva, chuvinha se segredando. Nurka corria, negramente, e enfim voltava, cachorra destapada ditosa. Se a gente se virava, via-se a casa, branquinha com a lista verde-azul, a mais pequenina e linda, de todas, todas. Zito dando o braço a Ciganinha, por vezes, muito, as mãos se encontravam. Pele se crescia, elegante. E ágil ia Brejeirinha, com seu casaquinho coleóptero. Ela andava pés-para-dentro, feito um periquitinho, impávido.

No transcenso da colineta, Zito e Ciganinha calavam-se, muito às tortas, nos comovidos não-falares. Sim, já se estavam em pé de paz, fazendo sua experiência de felicidade; para eles, o passeio era um fato sentimental. Descia-se agora a outra ladeira, pegando cuidado, pelo enlameável e escorregoso, poças, mas também para não pisar no que Brejeirinha chamava de *"o bovino"* — altas rodelas de esterco cogumeleiro. Ali, com efeito, andavam bois: *"o boi, beiçudo"*; aí, Brejeirinha levou tombo. Ela disse que Mamãe tinha dito que eles precisavam de ter: coragem com juízo. Mas, isso, era mentirinhas. E, o que pois: — *"Agora, já me sujei, então agora posso não ter cuidado..."* Correu, com Nurka, pela encosta inferior, no verdinho pasto. Pele ainda ralhou: — *"Você vai buscar um audaz navegante?"* Mas, mais. Entanto, à úmida, à luz, o plano capim — e floriu-se: estendem-se, entremunhadas, as margaridinhas, todas se rodeiam de pálpebras.

O que se queria, aqui, era a pequena angra, onde o riachinho faz foz. Abaixo, aos bons bambus, e às pedreiras de beira-rio, ouvindo o ronco, o bufo d'água. Porque, o rio, grossoso, se descomporta, e o riachinho porém também, seu estuário já feio cheio, refuso, represado, encapelado — pororoqueja. — *"Bochechudo!"* — grita-lhe Brejeirinha. Sumiu-se a última areiinha dele, sob baile de um atoalhado de espumas, no belo despropositar-se, o bulir de bolhas. Brejeirinha já olhou tudo de cor. Cravou varetas de bambu, marcando pontos, para medir a água em se crescer, mudando de lugar. Porém, o fervor daquilo impunha-lhe recordações, Brejeirinha não gostando de mar: — *"O mar não tem desenho. O vento não deixa. O tamanho..."* Lamentava-se de não ter trazido pão para os peixes. — *"Peixe, assim, a esta hora?"* — Pele duvidava. Divagava Brejeirinha: — *"A cachoeirinha é uma parede de água..."* Falou que aquela, ali, no rio, em frente, era a Ilhazinha dos Jacarés. — *"Você já viu jacaré lá?"* — caçoava Pele. — *"Não. Mas você também nunca viu o jacaré-não-estar-lá. Você vê é a ilha, só. Então, o jacaré pode estar ou não estar..."* Mas, Brejeirinha, Nurka ao lado, já vira tudo, em pé em volta, seu par de olhos passarinhos. Demorava-se, aliás, o subir e alargar-se da água, com os mil-e-um movimentos supérfluos.

A gente se sentava, perto, não no chão nem em tronco caído, por causa do chovido do molhado. Ciganinha e Zito, numa pedra, que dava só para dois, podiam horas infinitas; apenas, conversando ainda feito gente trivial. Pele saíra a colher um feixe de flores. Mais não chuviscava. Brejeirinha já pulando de novo. Disse: que o dia estava muito recitado. Voltava-se para a contramargem, das mais verdes, e jogava pedras, o longe possível, para Nurka correndo ir buscar. Depois, se acocora, de entreter-se, parece que já está até calçada com um sapatinho só. Mas, sem se desagachar, logo gira nos pezinhos, quer Ciganinha e Zito para ouvirem. Olha-os.

— *"O Aldaz Navegante não gostava de mar! Ele tinha assim mesmo de partir? Ele amava uma moça, magra. Mas o mar veio, em vento, e levou o navio dele, com ele dentro, escrutínio. O Aldaz Navegante não podia nada, só o mar, danado de ao redor, preliminar. O Aldaz Navegante se lembrava muito da moça. O amor é original..."*

Ciganinha e Zito sorriram. Riram juntos. — *"Nossa! O assunto ainda não parou?"* — era Pele voltada, numa porção de flores se escudando. Brejeirinha careteou um *"ah!"* e quis que continuou: — *"... Envém a tripulação... Então, não. Depois, choveu, choveu. O mar se encheu, o esquema, amestrador... O Aldaz Navegante não tinha caminho para correr e fugir, perante, e o navio espedaçado. O navio parambolava... Ele, com o medo, intacto, quase nem tinha tempo de tornar a pensar demais na moça que amava, circunspectos. Ele só a prevaricar... O amor é singular..."*

— *"E daí?"*

— *"A moça estava paralela, lá, longe, sozinha, ficada, inclusive, eles dois estavam nas duas pontinhas da saudade... O amor, isto é... O Aldaz Navegante, o perigo era total, titular... não tinha salvação... O Aldaz... O Aldaz..."*

— *"Sim. E agora? E daí?"* — Pele intimava-a.

— *"Aí? Então... então... Vou fazer explicação! Pronto. Então, ele acendeu a luz do mar. E pronto. Ele estava combinado com o homem do farol... Pronto. E..."*

— *"Na-ão. Não vale! Não pode inventar personagem novo, no fim da estória, fu! E — olha o seu 'aldaz navegante', ali. É aquele..."*

Olhou-se. Era: aquele — a coisa vacum, atamanhada, embatumada, semi-ressequida, obra pastoril no chão de limugem, e às pontas dos capins — chato, deixado. Sobre sua eminência, crescera um cogumelo de haste fina e flexuosa, muito longa: o chapeuzinho branco, lá em cima, petulante se bamboleava. O embate e orla da água, enchente, já o atingiam, quase.

Brejeirinha fez careta. Mas, nisso, o ramilhete de Pele se desmanchou, caindo no chão umas flores. — *"Ah! Pois é, é mesmo!"* — e Brejeirinha saltava e agia, rápida no valer-se das ocasiões. Apanhara aquelas florinhas amarelas — josés-moleques, douradinhas e margaridinhas — e veio espetá-las no concrôo do objeto. — *"Hoje não tem nenhuma flor azul?"* — ainda indagou. A risada foi de todos, Ciganinha e Zito bateram palmas. — *"Pronto. É o Aldaz Navegante..."* — e Brejeirinha crivava-o de mais coisas — folhas de bambu, raminhos, gravetos. Já aquela matéria, o "bovino", se transformava.

Deu-se, aí, porém, longe rumor: um trovão arrasta seus trastes. Brejeirinha teme demais os trovões. Vem para perto de Zito e Ciganinha. E de Pele. Pele, a meiga. Que: — *"Então? A estória não vai mais? Mixou?"*

— *"Então, pronto. Vou tornar a começar. O Aldaz Navegante, ele amava a moça, recomeçado. Pronto. Ele, de repente, se envergonhou de ter medo, deu um valor, desassustado. Deu um pulo onipotente... Agarrou, de longe, a moça, em seus abraços... Então, pronto. O mar foi que se aparvolhou-se. Arres! O Aldaz Navegante, pronto. Agora, acabou-se, mesmo: eu escrevi — 'Fim'!"*

De fato, a água já se acerca do "Aldaz Navegante", seu primeiro chofre golpeava-o. *"Ele vai para o mar?"* — perguntava, ansiosa, Brejeirinha. Ficara muito de pé. Um ventinho faz nela bilo-bilo — acarinha-lhe o rosto, os lábios, sim, e os ouvidos, os cabelos. A chuva, longe, adiada.

Segredando-se, Ciganinha e Zito se consideram, nas pontinhas da realidade. — *"Hoje está tão bonito, não é? Tudo, todos, tão bem, a gente alegre... Eu gosto deste tempo..."* E: — *"Eu também, Zito. Você vai voltar sempre aqui, muitas vezes?"* E: — *"Se Deus quiser, eu venho..."* E: — *"Zito, você era capaz de fazer como o Audaz Navegante? Ir descobrir os outros lugares?"* E: — *"Ele foi, porque os outros lugares ainda são mais bonitos, quem sabe?..."* Eles se disseram, assim eles dois, coisas grandes em palavras pequenas, ti a mim, me a ti, e tanto. Contudo, e felizes, alguma outra coisa se agitava neles, confusa — assim rosa-amor-espinhos-saudade.

Mas, o "Aldaz Navegante", agora a água se apressa, no vir e ir, seu espumitar chega-lhe já re-em-redor, começando a ensopação.

Ei-lo circunavegável, conquanto em firme terrestreidade: o chão ainda o amarrava de romper e partir. Brejeirinha aumenta-lhe os adornos. Até Ciganinha e Zito pegam a ajudar. E Pele. Ele é outro, colorido, estrambótico, folhas, flores. — *"Ele vai descobrir os outros lugares..."* *"— Não, Brejeirinha. Não brinca com coisas sérias!"* *"— Uê? O quê?"* Então, Ciganinha, cismosa, propõe: — *"Vamos mandar, por ele, um recado?"* Enviar, por ora, uma coisa, para o mar. Isso, todos querem. Zito põe uma moeda. Ciganinha, um grampo. Pele, um chicle. Brejeirinha — um cuspinho; é o "seu estilo". E a estória? Haverá, ainda, tempo para recontar a verdadeira estória? Pois:

— *"Agora, eu sei. O Aldaz Navegante não foi sozinho; pronto! Mas ele embarcou com a moça que ele amavam-se, entraram no navio, estricto. E pronto. O mar foi indo com eles, estético. Eles iam sem sozinhos, no navio, que ficando cada vez mais bonito, mais bonito, o navio... pronto: e virou vagalumes..."*

Pronto. O trovão, terrível, este em céus e terra, invencível. Carregou. Brejeirinha e o trovão se engasgam. Ela iria cair num abismo "intacto" — o vão do trovão? Nurka latiu, em seu socorro. Ciganinha, e Pele e Zito, também, vêm para a amparar. Antes, porém, outra, fada, inesperada, surgia, ali, de contraflor.

— *"Mamãe!"*

Deitou-se-lhe ao pescoço. Mamãe aparava-lhe a cabecinha, como um esquilo pega uma noz. Brejeirinha ri sem til. E, Pele:

— *"Olha! Agora! Lá se vai o 'Aldaz Navegante'!"*

— *"Ei!"*

— *"Ah!"*

O Aldaz! Ele partia. Oscilado, só se dançandoando, espumas e águas o levavam, ao Aldaz Navegante, para sempre, viabundo, abaixo, abaixo. Suas folhagens, suas flores e o airoso cogumelo, comprido, que uma gota orvalha, uma gotinha, que perluz — no pináculo de uma trampa seca de vaca.

Brejeirinha se comove também. No descomover-se, porém, é que diz: — *"Mamãe, agora eu sei, mais: que o ovo só se parece, mesmo, é com um espeto!"*

De novo, a chuva dá.

De modo que se abriram, asados, os guarda-chuvas.

A benfazeja

SEI QUE NÃO ATENTARAM NA MULHER; NEM FOSSE POSSÍVEL. Vive-se perto demais, num lugarejo, às sombras frouxas, a gente se afaz ao devagar das pessoas. A gente não revê os que não valem a pena. Acham ainda que não valia a pena? Se, pois, se. No que nem pensaram; e não se indagou, a muita coisa. Para quê? A mulher — malandraja, a malacafar, suja de si, misericordiada, tão em velha e feia, feita tonta, no crime não arrependida — e guia de um cego. Vocês todos nunca suspeitaram que ela pudesse arcar-se no mais fechado extremo, nos domínios do demasiado?

Soubessem-lhe ao menos o nome. Não; pergunto, e ninguém o intéira. Chamavam-na de a *"Mula-Marmela"*, somente, a abominada. A que tinha dores nas cadeiras: andava meio se agachando; com os joelhos para diante. Vivesse embrenhada, mesmo quando ao claro, na rua. Qualquer ponto em que passasse, parecia apertado. Viam-lhe vocês a mesmez — furibunda de magra, de esticado esqueleto, e o se sumir de sanguexuga, fugidos os olhos, lobunos cabelos, a cara —; as sombras carecem de qualquer conta ou relevo. Sabe-se se assustava-os seu ser: as fauces de jejuadora, os modos, contidos, de ensalmeira? Às vezes, tinha o queixo trêmulo. Apanhem-lhe o andar em ponta, em sestro de égua solitária; e a selvagem compostura. Seja-se exato.

E nem desconfiaram, hem, de que poderiam estar em tudo e por tudo enganados? Não diziam, também, que ela ocultava dinheiro, rapinicado às tantas esmolas que o cego costumava arrecadar?

Rica, outromodo, sim, pelo que do destino, o terrível. Nem fosse reles feiosa, isto vocês poderiam notar, se capazes de desencobrir-lhe as feições, de sob o sórdido desarrumo, do sarro e crasso; e desfixar-lhe os rugamentos, que não de idade, senão de crispa expressão. Lembrem-se bem, façam um esforço. Compesem-lhe as palavras parcas, os gestos, uns atos, e tereis que ela se desvendava antes ladina, atilada em exacerbo. Seu antigo crime? Mas sempre escutei que o assassinado por ela era um hediondo, o cão de homem, calamidade horribilíssima, perigo e castigo para os habitantes deste lugar. Do que ouvi, a vocês mesmos, entendo que, por aquilo, todos lhe estariam em grande dívida, se bem que de tanto não tomando tento, nem essa gratidão externassem. Tudo se compensa. Por que, então, invocar, contra as mãos de alguém, as sombras de outroras coisas?

O cego pedia suas esmolas rudemente. Xingava, arrogava, desensofrido, dando com o bordão nas portas das casas, no balcão das vendas. Respeitavam-no, mesmo por isso, jamais se viu que o desatendessem, ou censurassem ou ralhassem, repondo-o em seu nada. Piedade? Escrúpulo? Mais seria como se percebessem nele, de obscuro, um mando de alma, qualidade de poder. Chamava-se *"o Retrupé"*, sem adiante. Como a Mula-Marmela, os dois, ambos: uns pobres, de apelido. E vocês não vêem que, negando-lhes o de cristão, comunicavam, à rebelde indigência de um e outra, estranha eficácia de ser, à parte, já causada?

Ao Retrupé, com seu encanzinar-se, blasfemífero, e prepotente esmolar, ninguém demorava para dar dinheiro, comida, o que ele quisesse, o pão-por-deus. — *"Ele é um* tranca!" — o cínico e canalha, vilão. Mas só, às vezes, alguém, depois e longe, se desabafava. O homem maligno, com cara de matador de gente. Sobre os trapos, trazia um facão, pendente. Estendia, imperioso, sua mão de tamanho. E gritava, com uma voz de cão, superlativa. Se alguém falasse, ou risse, ele parava, esperava o silêncio. Escutava muito, ao redor de si. Mas nunca ouvia tudo; não sabia nem podia.

Tinha medo, também; disso vocês nunca desconfiaram. Temia-a, a ela, à mulher que o guiava. A Mula-Marmela chamava-o, com simples sílaba, entre dentes, quase esguichado um *"ei"* ou *"hã"*

— e o Retrupé se movia de lá, agora apalpante, pisando com ajuda; balançava o facão, a bainha presa a um barbante, na cintura. Sei que ele, leve, breve, se sacudira. Desciam a rua, dobraram o beco, acompanharam-se por lá, os dois, em sobrossoso séqüito. Rezam-se ódio. Lé e cré, pelas ora voltas, que qual, que tal, loba e cão. Como era que ficavam nesse acordo de incomunhão, malquerentes, parando entre eles um frio figadal? O cego Retrupé era filho do finado marido dela, o *"Mumbungo"*, que a Mula-Marmela assassinara.

Vocês sabem, o que foi há tantos anos. Esse Mumbungo era célebre-cruel e iníquo, muito criminoso, homem de gostar do sabor de sangue, monstro de perversias. Esse nunca perdoou, emprestava ao diabo a alma dos outros. Matava, afligia, matava. Dizem que esfaqueava rasgado, só pelo ancho de ver a vítima caretear. Será a sua verdade? Nos tempos, e por causa dele, todos estremeciam, sem pausa de remédio. Diziam-no maltratado do miolo. Era o punir de Deus, o avultado demo — o "cão". E, no entanto, com a mulher, davam-se bem, amavam-se. Como? O amor é a vaga, indecisa palavra. Mas, eu, indaguei. Sou de fora. O Mumbungo queria à sua mulher, a Mula-Marmela, e, contudo, incertamente, ela o amedrontava. Do temor que não se sabe. Talvez pressentisse que só ela seria capaz de destruí-lo, de cortar, com um ato de "não", sua existência doidamente celerada. Talvez adivinhasse que em suas mãos, dela, estivesse já decretado e pronto o seu fim. Queria-lhe, e temia-a — de um temor igual ao que agora incessante sente o cego Retrupé. Soubessem, porém, nem de nada. A gente é portador.

O cego Retrupé é grande, forte. Surge, de lá, trazido pela Mula-Marmela; agora se conduz firme, não vacila. Dizem que bebe? Vejam vocês mesmos, porém, como essas petas escondem a coisa singular. Todos sabem que ele não bebia, nunca, porque a Mula-Marmela não deixava. Nem carecia de falar-lhe a paz da proibição: dava-lhe, apenas, um silêncio, terrível. E ele cumpria, tinha a marca da coleira. Curtia afogados desejos, indecifrava-os. Aspirava, à porta dos botequins, febril, o espírito das cachaças. Seguia, enfim, perfidiado e remisso, mal-agradecido, raivoso, os dentes do rato rangiam-no. Porque, ele mesmo, não sabendo que não havia de beber, o que não fosse — ah, se! — o sangue das pessoas. Porque sua sede e embriaguez eram fatais, medonhas outras, para lá do ponto. Seria ele, realmente, uma alma de Deus, hão certeza? Ah, nem sabem. Podia também ser de outra essência — a mandada, manchada, malfadada. Dizem-se, estórias. Assim mesmo, no tredo estado em que tacteia, privo, mal-existente, o que é, cabidamente, é o filho tal-pai-tal; o "cão", também, na prática verdade.

O pai, o Mumbungo, se vivia bem com a mulher, a Mula-Marmela, e se ela precisava dele, como os pobres precisam uns dos outros, por que, então, o matou? Vocês nunca pensaram nisso, e culparam-na. Por que hão de ser tão infundados e poltrões, sem espécie de perceber e reconhecer? Mas, quando ela matou o marido, sem que se saiba a clara e externa razão, todos aqui respiraram, e bendisseram a Deus. Agora, a gente podia viver o sossego, o mal se vazara, tão felizmente de repente. O Mumbungo; esse, foi o que tivera de se revoltar a um outro lugar, foi como alma que caiu no inferno. Mas não a recompensaram, a ela, a Mula-Marmela; ao contrário: deixaram-na no escárnio de apontada à amargura, e na muda miséria, pois que eis. Matou o marido, e, depois, própria temeu, forte demais, o pavor que se lhe refluía, caída, dado ataque, quase fria de assombro de estupefazimento, com o cachorro uivar. E ela, então, não riu. Vocês, os que não a ouviram não rir, nem suportam se lembrar direito do delirido daquela risada.

Se eu disser o que sei e pensam, vocês inquietos se desgostarão. Nem consintam, talvez, que eu explique, acabe. A mulher tinha de matar, tinha de cumprir por suas mãos o necessário bem de todos, só ela mesma poderia ser a executora — da obra altíssima, que todos nem ousavam conceber, mas que, em seus escondidos corações, imploravam. Só ela mesma, a Marmela, que viera ao mundo com a sina presa de amar aquele homem, e de ser amada dele; e, juntos, enviados. Por quê? Em volta de nós, o que há, é a sombra mais fechada — coisas gerais. A Mula-Marmela e o Mumbungo, no fio a fio de sua afeição, suspeitassem antecipadamente da sanção, e sentença? Temia-a, ele, sim, e o amor que tinha a ela colocava-o à mercê de sua justiça. A Marmela, pobre mulher, que sentia mais que todos, talvez, e, sem o saber, sentia por todos, pelos ameaçados e vexados, pelos que choravam os seus entes parentes, que o Mumbungo, mandatário de não sei que poderes, atroz sacrificara. Se só ela poderia matar o homem que era o seu, ela teria de matá-lo. Se não cumprisse assim — se se recusasse a satisfazer o que todos, a sós, a todos os instantes, suplicavam enormemente — ela enlouqueceria? A cor do carvão é um mistério; a gente pensa que ele é preto, ou branco.

E outra vez vejo que vêm, pela indiferente rua, e passam, em esmolambos, os dois, tão fora da vida exemplar de todos, dos que são os moradores deste sereno nosso lugar. O cego Retrupé avança, fingindo-se de seguro, não dá à Mula-Marmela a ponta do bordão para segurar, ela o guia apenas com sua dianteira presença, ele segue-a pelo jeito, pelo se deslocar do ar — como em trasvôo se vão os pássaros; ou o que ele percebe à sua frente é a essência vivaz da mulher, sua sombra-da-alma, fareja-lhe o odor, o lobum? Notem que o cego Retrupé mantém sempre muito levantada a cabeça, por inexplicado orgulho: que ele provém de um reino de orgulho, sua maligna índole, o poder de mandar, que estarrece. E ele traz um chapéu chato, nem branco nem preto. Viram como esse chapéu lhe cai muitas vezes da cabeça, principalmente quando ele mais se exalta, gestilongado abarbarado e maldoso, reclamando com urgência suas esmolas do povo. Mas, notaram como é que a Mula-Marmela lhe apanha do chão o chapéu, e procura limpá-lo com seus dedos, antes de lho entregar, o chapéu que ele mesmo nunca tira, por não respeitar a ninguém? Sei que vocês não se interessam nulo por ela, não reparam como essa mulher anda, e sente, e vive e faz. Repararam como olha para as casas com olhos simples, livres do amaldiçoamento de pedidor? E não põe, no olhar as crianças, o soturno de cativeiro que destinaria aos adultos. Ela olha para tudo com singeleza de admiração. Mas vocês não podem gostar dela, nem sequer sua proximidade tolerem, porque não sabem que uma sina forçosa demais apartou-a de todos, soltou-a. Apara, em seu de-cor de dever, o ódio que deveria ir só para os dois homens. Dizem-na maldita: será; e? Porém, isto, nunca mais repitam, não me digam: *do lobo, a pele; e olhe lá!* Há sobrepesos, que se levam, outros, e são a vida.

Mas, com tanto, está que ninguém sabe o que entre os dois verdadeiramente se compassa — do desconchavo e desacerto de assim perambularem, torvos, no monótono, em farrapos, semoventes: do que vocês apenas se divertem, tiram graças e chocarra. Se o que os há é apenas embruxar e odiar, loba contra cão, ojeriza e osga; convocam demônios? Ou algum encoberto ultrapassar, — posto o que também há: uma irmandade das almas más, alcatéia e matilha? Não, não há ódio; engano. Ela, não. Ela cuida dele, guia-o, trata-o — como a um mais infeliz, mais feroz, mais fraco. Desde que *morreu* o homem-marido, o Mumbungo, ela tomou conta deste. Passou a cuidá-lo, na reobriga, sem buscar sossego. Ela não tinha filhos. — *"Ela nunca pariu..."* — vocês culpam-na. Vocês, creio, gostariam de que ela também se fosse, desaparecesse no não, depois de ter assassinado o marido. Vocês odeiam-na, destarte.

Mas, se ela também se tivesse matado, que seria de vocês, de nós, às muitas mãos do Retrupé, que ainda não estava cegado, nos tempos; e que seria tão pronto para ser sanguinaz e cruel-perverso quanto o pai — e o que renega de Deus — da pele de Judas, de tão desumana e tremenda estirpe, de apavôr?

Seus os-olhos, do Retrupé, ainda eram sãos: para espelhar inevitável ódio, para cumprir o dardejar, e para o prazer de escolher as vítimas mais fáceis, mais frescas. Só aí, se deu que, em algum comum dia, o Retrupé cegou, de ambos aqueles olhos. Souberam vocês como foi? Procuraram achar? Sabem, contudo, que há leites e pós, de plantas, venenos que ocultamente retiram, retomam a visão, de olhos que não devem ver. Só com isso, sem precisão de mais, e já o Retrupé parava, um ser quase inócuo, um renunciado. E vocês, bons moradores do lugar, ficavam defendidos, a cobro de suas infrenes celeradezas. Talvez, ele não precisasse de danado morrer como o Mumbungo, seu pai. Talvez, me pergunto, o próprio Mumbungo descarecesse de ser morto, se acaso, por ponto, alguém pensasse *antes* nessas ervas cegadoras, ou soubesse já então de sua aplicação e efeito. Se assim, pois, haver-se-ia agora a Mula-Marmela guiando a dois, pelas ruas, e deles com terrível dever-de-amor cuidando, como se fossem os filhos que ela queria, os que ela não pariu nem parirá, nunca — o dócil morto e o impedido cego.

A pacto de tolher-lhes as ainda possíveis malícias, e dar-lhes, como em sua antiqüíssima linguagem ela diz: *gasalhado* e *emparo*. Vocês, porém, fio que nem nunca lhe escutaram a voz — à surda.

Também o cego Retrupé se intimida dessa voz, rara tanto. Sabem o que é tão estúrdio? — que, mesmo um que não vê, sabe que precisa de apartar a cabeça: ele faz isso, para não encarar com a mulher odiosa. O cego Retrupé volta-se de frente para o ponto onde estão as sensatas, quietas pessoas, que ele odeia em si, pelo desprezamento de todos, na pacatez e concórdia. Ele precisava de matar, para a fundo se cumprir, desafogado e bem. Mas, não pode. Porque é cego, apenas. O cego Retrupé, sedicioso, então, insulta, brada espumas, ruge — nas gargantas do cão. Sabe que é de outra raça, que vem do ainda horroroso, informe; que ainda não entendeu a mansidão, pelo temor? Então, o cego Retrupé esbarra com o impoder da cegueira; agora, ele não pode alcançar ninguém, se a raiva mais o cega; pode? O cego Retrupé cochicha consigo — ele ofende o invisível. Para ele, graças à cegueira, este nosso mundo já é algum além. E se assim não fosse? Alguém seria capaz de querer ir pôr o açamo no cão em dana? E vocês ainda podem culpar esta mulher, a Marmela, julgá-la, achá-la vituperável? Deixem-na, se não a entendem, nem a ele. Cada qual com sua baixeza; cada um com sua altura.

Saibam ver como ela sabe dar descargo de si. Sim, ela é inobservável; vocês não poderiam. Mas, reparando com mais tento, veriam, pelo menos, como ela não é capaz de pegar estouvadamente em alguma coisa; nem deixa de curvar-se para apanhar um caco de vidro no chão da rua, e pô-lo de lado, por perigoso. Ela abaixa assaz os olhos. Pelo marido, seu morto; pode, porque o matou sem inúteis sofrimentos. Se não o matasse, ele se teria condenado ainda mais? Ela afasta do botequim o cego Retrupé, turbador, remisso e bulhento. Só este é o seu, deles, diálogo: um pigarro e um impropério. Ele a segue, caninamente. Vão-se; nunca nenhum de vocês os observou, a gente não consegue nem persegue os fios feixes dos fatos. Vivem em aterrador, em coisa de silêncio, tão juntos, de morar em esconderijos. A luz é para todos; as escuridões é que são apartadas e diversas.

Diziam que, em outro tempo, ao menos, entre eles teria havido alguma concubinagem. Cambonda? Vocês sabem que isso é falso; e como a gente gosta de aceitar essas simples, apaziguadoras suposições. Sabem que o cego Retrupé, canhim e discordioso, ela mesma o conduz, paciente, às mulheres, e espera-o cá fora, zela para que não o maltratem. Isto, porém, faz tempo. Hoje ele está envelhecido, virou em macilento, grisalho, as cãs assentam-lhe bem, quando o chapéu cai. Estes tempos, durante que deixamos de conhecê-los e averiguá-los. O cego Retrupé anda meio caído, amorviado, em escanifro e escanzelo. Parece que, ao mesmo passo, seu modo de medo da Mula-Marmela muda e aumenta. Fraqueia-lhe também a fúria alastradora e áspera de viver: não exerce com o mesmo entono puxar pelo seu direito — o feroz direito de pedir.

Parece que seu temor fazia-o murmurar queixumes, súplicas, à Mula-Marmela. E, no entanto, ela cada dia para com ele mais se abranda, apiedada de seu desvalor. Mas ele não crê, não pode saber, não confia dela, nem da gente. O entressentir-se, entre as pessoas, vem de regra com exageros, erro, e retardo. Ele sussurra disfarçada e impessoalmente seus pedidos de perdão; vocês notaram? A Mula-Marmela ouvia-o, sem parecer que. Fugia de olhá-lo. Sei, vocês não notaram, nada. E, mesmo, agora, vocês se sentem um pouco mais garantidos, tranqüilos estamos. É de crer que, breve, estaremos livres do que não amamos, do que danadamente nos enoja, pasma.

Conta-se-me que ele quis matá-la. Em hora em que seu medo se derramou maior, saber-se-á lá por quê? Tido que já se estava maltreito, quando adoeceu, mal, de febre acesa. Sentara-se à beira da rua, para arquejar. De repente, levantou-se, sem bordão, estorvinhado, gritou, bramou: exaltado como um cão que é acordado de repente. Sacou o facão, tacava-o, avançava às doidas, às mesmo cegas, tentando golpeá-la, em seu desatinado furor. E ela, erguida onde estava, permaneceu, não se moveu, não se intimidava? Olhava na direção do não. Se ele acertasse, poderia em carnes trucidá-la. Mas, aos poucos, acreditou que o facão não a encontraria nunca, sentiu-se desamparado demais e sozinho. Temeu, de todo em pé. O facão lhe caiu da mão. Seu medo não tinha olhos para encher.

Parece que gemeu e chorou: — *"Mãe... Mamãe... Minha mãe!"*... — esganiçado implorava, quando retombou sentado no chão, cessada a furibundância; e tremia estremecidamente, feito os capins dos pastos. Estava já no fino do funil, é de crer que. A Mula-Marmela, ela veio, se chegou, sem dizer nem o sussurrar. Apanhou-lhe o chapéu, limpou-o, tornou-o a pôr na cabeça dele, e trouxe também o facão, recolocou-o em sua cintura, na velha bainha. Ele, com o se apequenar de sofrer e tremer, semelhava um bicho do fundo da floresta. Diz-se que ela teria lágrimas nos olhos; que falou, soturna de ternuras terríveis: — *"Meu filho..."* E olhou para uma banda, disse a alguma coisa mais, como se falando ao outro; soluçava, também, pelo Mumbungo, seu reconduzido marido, por sua parte, de seu ato. Disse, vocês não quererão saber, são em-diabas confusões, disso vocês não sabem. E, se, para quê? Se ninguém entende ninguém; e ninguém entenderá nada, jamais; esta é a prática verdade.

Sim, os dois, ficaram, até ao anoitecer, e pela noite entrada, naquela solidão próxima, numa beira de cerca. Alguém os acudiu? Diz-se que ele padecia uma dor terrivelmente, de demasiado castigo, e uma sufocação medonha de ar, conforme nem por uma esperança ainda nem não agoniava. Só estrebuchava. Não viram, na madrugada, quando ele lançou o último mau suspiro. Sim, mas o que vocês crêem saber, isto, seriamente afirmam: que ela, a Mula-Marmela, no decorrer das trevas, foi quem esganou estranguladamente o pobre-diabo, que parou de se sofrer, pelos pescoços; no cujo, no corpo defunto, após, se viram marcas de suas unhas e dedos, craváveis. Só não a acusaram e prenderam, porque maior era o alívio de a ver partir, para nunca, daí que, silenciosa toda, como era sempre, no cemitério, acompanhou o cego Retrupé às consolações. Vocês, distantemente, ainda a odiavam?

E ela ia se indo, amargã, sem ter de se despedir de ninguém, tropeçante e cansada. Sem lhe oferecer ao menos qualquer espontânea esmola, vocês a viram partir: o que figurava a expedição do bode — seu expiar. Feia, furtiva, lupina, tão magra. Vocês, de seus decretantes corações, a expulsavam. Agora, não vão sair a procurar-lhe o corpo morto, para, contritos, enterrá-lo, em festa e pranto, em preito? Não será custoso achá-lo, por aí, caído, nem légua adiante. Ela ia para qualquer longe, ia longamente, ardente, a só e só, tinha finas pernas de andar, andar. É caso, o que agora direi. E, nunca se esqueçam, tomem na lembrança, narrem aos seus filhos, havidos ou vindouros, o que vocês viram com esses seus olhos terrivorosos, e não souberam impedir, nem compreender, nem agraciar. De como, quando ia a partir, ela avistou aquele um cachorro morto, abandonado e meio já podre, na ponta-da-rua, e pegou-o às costas, o foi levando —: se para livrar o logradouro e lugar de sua pestilência perigosa, se para piedade de dar-lhe cova em terra, se para com ele ter com quem ou quê se abraçar, na hora de sua grande morte solitária? Pensem, meditem nela, entanto.

Darandina

De manhã, todos os gatos nítidos nas pelagens, e eu em serviço formal, mas, contra o devido, cá fora do portão, à espera do menino com os jornais, e eis que, saindo, passa, por mim e duas ou três pessoas que perto e ali mais ou menos ocasionais se achavam, aquele senhor, exato, rápido, podendo-se dizer que provisoriamente impoluto. E, pronto, refez-se no mundo o mito, dito que desataram a dar-se, para nós, urbanos, os portentosos fatos, enchendo explodidamente o dia: de chinfrim, afã e lufa-lufa.

— *"Ô, seô!..."* — foi o grito; senão se, de guerra: — *"Ugh, sioux!..."* — também cabendo ser, por meu testemunho, já que com concentrada ou distraída mente me encontrava, a repassar os próprios, íntimos qüiproquós, que a matéria da vida são. Mas: — *"Oooh..."* — e o senhor tão bem passante algum quieto transeunte apunhalara?! Isso em relance e instante visvi — vislumbrou-se-me. Não. Que só o que tinha sido — vice-vi mais —: pouco certeiro e indiscreto no golpe, um afanador de carteiras. Desde o qual, porém, irremediável, ia-se o vagar interior da gente, roto, de imediato, para durante contínuos episódios.

— *"Sujeito de trato, tão trajado..."* — estranhava, surgindo do carro, dentr'onde até então cochilara, o chofer do dr. Bilôlo. — *"A caneta-tinteiro foi que ele abafou, do outro, da lapela..."* — depunha o menino dos jornais, só no vivo da ocasião aparecendo. Perseguido, entretanto, o homem corria que luzia, no diante do pé, varava pela praça, dava que dava. — *"Pega!"* Ora, quase no meio da praça, instalava-se uma das palmeiras-reais, talvez a maior, mesmo majestosa. Ora, ora, o homem, vestido correto como estava, nela não esbarrou, mas, sem nem se livrar dos sapatos, atirou-se-lhe abraçado, e grimpava-a, voraz, expedito arriba, ao incrível, ascensionalíssimo. — *Uma palmeira é uma palmeira ou uma palmeira ou uma palmeira?* — inquiriria um filósofo. Nosso homem, ignaro, escalara dela já o fim, e fino. Susteve-se.

— *Esta!* — me mexi, repiscados os olhos, em tento por me readquirir. Pois o nosso homem se fora, a prumo, a pino, com donaires de pica-pau e nenhum deslize, e ao topo se encarapitava, safado, sabiá, no páramo empíreo. Paravam os de seu perséquito, não menos que eu surpresos, detidos, aqui em nível térreo, ante a infinita palmeira — muralhavaz. O céu só safira. No chão, já nem se contando o crescer do ajuntamento, dado que, de toda a circunferência, acudiam pessoas e povo, que na praça se emagotava. Tanto nunca pensei que uma multidão se gerasse, de graça, assim e instantânea.

Nosso homem, diga-se que ostentoso, em sua altura inopinada, floria e frutificava: nosso não era o nosso homem. — *"Tem arte..."* — e quem o julgava já não sendo o jornaleiro, mas o capelão da Casa, quase com regozijo. Os outros, acolá, de infra a supra, empinavam insultos, clamando do demo e aqui-da-polícia, até se perguntava por arma de fogo. Além, porém, muito a seu grado, ele imitativamente aleluiasse, garrida a voz, tonifluente; porque mirável era que tanto se fizesse ouvir, tudo apesar-de. Discursava sobre canetas-tinteiro? Um camelô, portanto, atrevido na propaganda das ditas e estilógrafos. Em local de má escolha, contudo, pensei; se é que, por descaridosa, não me escandalizasse ainda a idéia de vir alguém produzir acrobacias e dislativas peloticas, dessas, justo em frente de nosso Instituto. Extremamente de arrojo era o sucesso, em todo o caso, e eu humano; andei ver o reclamista.

Chamavam-me, porém, nesse entremenos, e apenas o Adalgiso, sisudo ele, o de sempre, só que me pegando pelo braço. Puxado e puxando, corre que apressei-me, mesmo assim, pela praça, para o foco do sumo, central transtornamento. Com estarmos ambos de avental, davam-nos alguma irregular passagem. — *"Como foi que fugiu?"* — todo o mundo perguntando, do populacho, que nunca é muito tolo por muito tempo. Tive então enfim de entender, ai-me, mísero. — *"Como o recapturar?"* Pois éramos, o Adalgiso e eu, os internos de plantão, no dia infausto'fantástico.

Vindo o que o Adalgiso, com de-curtas, não urgira em cochichar-me: nosso homem não era nosso hóspede. Instantes antes, espontâneo, só, dera ali o ar de sua desgraça. — *"Aspecto e* facies *nada anormais, mesmo a forma e conteúdo da elocução a princípio denotando fundo mental razoável..."* Grave, grave, o caso. Premianos a multidão, e estava-se na área de baixa pressão do ciclone. — *"Disse que era são, mas que, vendo a humanidade já enlouquecida, e em véspera de mais tresloucar-se, inventara a decisão de se internar, voluntário: assim, quando a coisa se varresse de infernal a pior, estaria já garantido ali, com lugar, tratamento e defesa, que, à maioria, cá fora, viriam a fazer falta..."* — e o Adalgiso, a seguir, nem se culpava de venial descuido, quando no ir querer preencher-lhe a ficha.

— *"Você se espanta?"* — esquivei-me. De fato, o homem exagerara somente uma teoria antiga: a do professor Dartanhã, que, mesmo a nós, seus alunos, declarava-nos em quarenta-por-cento casos típicos, larvados; e, ainda, dos restantes, outra boa parte, apenas de mais puxado diagnóstico... Mas o Adalgiso, mas ao meu estarrecido ouvido: — *"Sabe quem é? Deu nome e cargo. Sandoval o reconheceu. É o Secretário das Finanças Públicas..."* — assim baixinho, e choco, o Adalgiso.

Ao que, quase de propósito, a turba calou-se e enervou-nos, à estupefatura. Desolávamo-nos de mais acima olhar, aonde evidentemente o céu era um desprezo de alto, o azul antepassado. De qualquer modo, porém, o homem, aquém, em torre de marfim, entre as verdes, hirtas palmas, e ao cabo de sua diligência de veloz como um foguete, realizava-se, comensurado com o absurdo. Sei-me atreito a vertigens. E quem não, então, sob e perante aquilo, para nós um deu-nos-sacuda, de arrepiar perucas, semelhante e rigorosa coisa? Mas um super-humano ato pessoal, transe hiperbólico, incidente hercúleo. — *"Sandoval vai chamar o dr. Diretor, a Polícia, o Palácio de Governo..."* — assegurou o Adalgiso.

Uma palmeira não é uma mangueira, em sua frondosura, sequer uma aroeira, quanto a condições de fixibilidade e conforto, acontéce-que. Que modo e como, então, agüentava de reter-se tanto ali, estadista ou não, são ou doente? Ele lá não estava desequilibrado; ao contrário. O repimpado, no apogeu, e rematado velhaco, além de dar em doido, sem fazer por quando. A única coisa que fazia era sombra. Pois, no justo momento, gritou, introduziu-se a delirar, ele mais em si, satisfatível: — *"Eu nunca me entendi por gente!..."* — de nós desdenhava. Pausou e repetiu. Daí e mais: — *"Vocês me sabem é de mentira!"* Respondendo-me? Riu, ri, riu-se, rimo-nos. O povo ria.

Adalgiso, não: — *"Ia adivinhar? Não entendo de política."* — inconcluía. — *"Excitação maníaca, estado demencial... Mania aguda, delirante... E o contraste não é tudo, para se acertarem os sintomas?"* — ele, contra si consigo, opunha. Psiu, porém, quem, assado e assim, a mundos e resmungos, sua total presença anunciava? Vê-se que o dr. Diretor: que, chegando, sobrechegado. Para arredar caminho, por império, os da Polícia — tiras, beleguins, guardas, delegado, comissário — para prevenir desordem. Também, cândidos, com o dr. Diretor, os enfermeiros, padioleiros, Sandoval, o Capelão, o dr. Enéias e o dr. Bilôlo. Traziam a camisa-de-força. Fitava-se o nosso homem empalmeirado. E o dr. Diretor, dono: — *"Há de ser nada!"*

Contestando-o, diametral, o professor Dartanhã, de contrária banda aportado: — *"Psicose paranóide hebefrênica,* dementia praecox, *se vejo claro!"* —; e não só especulativo-teorético, mas por picuinha, tanto o outro e ele se ojerizavam; além de que rivais, coincidentemente, se bem que calvo e não calvo. Toante que o dr. Diretor ripostou, incientífico, em atitude de autoridade: — *"Sabe quem aquele cavalheiro é?"* — e o título declinou, voz vedada; ouvindo-o, do povo, mesmo assim, alguns, os adjacentes sagazes. Emendou o mote o professor Dartanhã: — *"... mas transitória perturbação, a qual, a capacidade civil, em nada lhe deixará afetada..."* — versando o de intoxicação-ou-infecção, a ponto falara. Mesmo um sábio se engana quanto ao em que crê —; cremos, nós outros, que nossos límpidos óculos limpávamos. Assim cada qual um asno prepalatino, ou, melhor, *apud* o vulgo: pessoa bestificada.

E, pois que há razões e rasões, os padioleiros não depunham no chão a padiola.

Porque, o nosso, o excelso homem, regritou: — *"Viver é impossível!..."* — um *slogan*; e, sempre que ele se prometia para falar, conseguia-se, cá, o multitudinal silêncio — das pessoas de milhares. Nem esquecera-lhe o elemento mímico: fez gesto — de que empunhasse um guarda-chuva. Ameaçava o quê a quem, com seu estro catastrófico? — *"Viver é impossível!"* — o dito declarado assim, tão empírico e anermenêutico, só através do egoísmo da lógica. Mas, menos como um galhofeiro estapafúrdio, ou alucinado burlão, pendo a ouvir, antes em leal tom e generoso. E era um revelar em favor de todos, instruía-nos de verdadeira verdade. A nós — substantes seres sub-aéreos — de cujo meio ele a si mesmo se raptara. Fato, fato, a vida se dizia, em si, impossível. Já assim me pareceu. Então, ingente, universalmente, era preciso, sem cessar, um milagre; que é o que sempre há, a fundo, de fato. De mim, não pude negar-lhe, incerta, a simpatia intelectual, a ele, abstrato — vitorioso ao anular-se — chegado ao píncaro de um axioma.

Sete peritos, oficiais pares de olhos, do espaço inferior o estudavam. — *"Que ver: que fazer?"* — agora. Pois o dr. Diretor comandava-nos em conselho, aqui, onde, prestimosa para nós, dilatava a Polícia, a proêmios de *casse-têtes* e blasfemos rogos, uma clareira precária. Para embaraços nossos, entretanto, portava-se árduo o ilustre homem, que ora encarnava a alma de tudo: inacessível. E — portanto — imedicável. Havia e haja que reduzi-lo a baixar, valha que por condigno meio desguindá-lo. Apenas, não estando à mão de colher, nem sendo de se atrair com afagos e morangos. — *"Fazer o quê?"* — unânimes, ora tardávamos em atinar. Com o que o dr. Diretor, como quem saca e desfecha, prometeu: — *"Vêm aí os bombeiros!"* Ponto. Depunham os padioleiros no chão a padiola.

O que vinha, era a vaia. Que não em nós, bem felizmente, mas no nosso guardião do erário. Ele estava na ponta. Conforme quanto, rápida, no chacoalhar da massa, difundira-se a identificação do herói. Donde, de início, de bufos avulsos gritos, daqui, aqui, um que outro, comicamente, a atoarda pronta borbotava. E bradou aos céus, formidável, una, a versão voxpopular: — *"Demagogo! Demagogo!..."* — avessa ressonância. — *"Demagôoogo!..."* — a belo e bom, safa, santos meus, que corrimaça. O ultravociferado halali, a extrair-se de imensidão: apinhada, em pé, impiedosa — aferventada ao calor do dia de março. Tenho que mesmo uns de nós, e eu, no conjunto conclamávamos. Sandoval, certo, sim; ele, na vida, pela primeira vez, ainda que em esboço, a revoltar-se. Reprovando-nos o professor Dartanhã: — *"Não tem um político direito às suas moléstias mentais?"* — magistralmente enfadado. Tão certo que até o dr. Diretor em seus créditos e respeitos vacilasse — psiquiatrista. Vendo-se, via-se que o nosso pobre homem perdia a partida, agora, desde que não conseguindo juntar o prestígio ao fastígio. Demagogo...

Conseguiu-o — de truz, tredo. Em suave e súbito, deu-se que deu que se mexera, a marombar, e por causas. Daí, deixando cair... um sapato! Perfeito, um pé de sapato — não mais — e tão condescendentemente. Mas o que era o teatral golpe, menos amedrontador que de efeito burlesco vasto. Claro que no vivo popular houve refluxos e fluxos, quando a mera peça demitiu-se de lá, vindo ao chão, e gravitacional se exibiu no ar. Aquele homem: — *"É um gênio!"* — positivou o dr. Bilôlo. Porque o povo o sentia e aplaudia, danado de redobrado: — *"Viva! Viva!..."* — vibraram, reviraram. — *"Um gênio!"* — notando-se, elegiam-no, ofertavam-lhe oceânicas palmas. Por São Simeão! E sem dúvida o era, personagente, em sua sicofância, conforme confere e confirmava: com extraordinária acuidade de percepção e alto senso de oportunidade. Porque houve também o outro pé, que não menos se desabou, após pausa. Só que, para variar, este, reto, presto, se riscou — não parabolava. Eram uns sapatos amarelados. O nosso homem, em festival — autor, alcandorado, alvo: desta e elétrica aclamação, adequada.

Estragou-a a sirene dos bombeiros: que eis que vencendo a custo o acesso e despontando, com esses tintinábulos sons e estardalho. E ancoravam, isto é — rubro de lagosta ou arrebol — cujo carro. Para eles se ampliava lugar, estricto espaço de manobra; com sua forte nota belígera, colheram sobeja sobra dos aplausos. Aí já seu Comandante se entendendo com a Polícia e pois conosco, ora. Tinham seu segundo, comprido caminhão, que se fazia base da escada: andante apetrêcho, para o empreendimento, desdobrável altaneiramente, essencial, muito máquina. Ia-se já agir. Manejando-se marciais tempos e movimentos, à corneta e apito dados. Começou-se. Ante tanto, que diria o nosso paciente — exposto cínico insigne?

Disse. — *"O feio está ficando coisa..."* — entendendo de nossos planos, vivaldamente constatava; e nisso indocilizava-se, com mímica defensiva, arguto além de alienado. A solução parecendo inconvir-lhe. — *"Nada de cavalo-de-pau!"* — vendo-se que de fresco humor e troiano, suspeitoso de Palas Atenéia. E: — *"Querem comer-me ainda verde?!"* — o que, por mero mimético e sintomático, apenas, não destoava nem jubilava. À arte que, mesmo escada à parte, os bons bombeiros, muito homens seriam para de assalto tomar a palmeira-real e superá-la: o uso avulso de um deles, tão bem em técnicas, sabe-se lá, quanto um antilhano ou canaca. A poder de cordas, ganchos, espeques, pedais postiços e poiais fincáveis. Houve nem mais, das grandes expectações, a conversa entrecortada. O silêncio timbrava-se.

Isto é, o homem, o prócer, protestou. — *"Pára!..."* Gesticulou que ia protestar mais. — *"Só morto me arriam, me apeiam!"* — e não à-toa, augural, tinha ele o verbo bem adestrado. Hesitou-se, de cá para cá, hesitávamos. — *"Se vierem, me vou, eu... Eu me vomito daqui!..."* — pronunciou. Declamara em demorado, quase quite eufórico, enquanto que nas viçosas palmas se retouçando, desvárias vezes a menear-se, oscilante por um fio. À coaxa acrescentou: — *"Cão que ladra, não é mudo..."* — e já que só faltava mesmo o triz, para passar-se do aviso à lástima. Parecia prender-se apenas pelos joelhos, a qualquer simples e insuportável finura: sua palma, sua alma. Ah... e quase, quasinho... quasezinho, quase... Era de horrir-me o pêlo. Nanja. — *"É de circo..."* — alguém sus sussurrou-me, o dr. Enéias ou Sandoval. O homem tudo podia, a gente sem certeza disso. Seja se com simulagens e fictâncias? Seja se capaz de elidir-se, largar-se e se levar do diabo. No finório, descabelado propósito, perpendurou-se um pouco mais, resoluto rematado. A morte tocando, paralela conosco — seu tênue tambor taquigráfico. Deu-nos a tensão pânica: gelou-se-me. Já aí, ferozes, em favor do homem: — *"Não! Não!"* — a gritamulta — *"Não! Não! Não!"* — tumultroada. A praça reclamava, clamava. Tinha-se de protelar. Ou produzir um suicídio reflexivo — e o desmoronamento do problema? O dr. Diretor citava Empedocles. Foi o em que os chefes terrestres concordaram: apertava a urgência de não se fazer nada. Das operações de salvamento, interrompeu-se o primeiro ensaio. O homem parara de balançar-se — irrealmente na ponta da situação. Ele dependia dele, ele, dele, ele, sujeito. Ou de outro qualquer evento, o qual, imediatamente, e muito aliás, seguiu-se.

De um — dois. Despontando, com o Chefe-de-Polícia, o Chefe-de-Gabinete do Secretário. Passou-se-lhe um binóculo e ele enfiava olho, palmeira-real avante-acima, detendo-se, no titular. Para com respeito humano renegá-lo: — *"Não o estou bem reconhecendo..."* Entre, porém, o que com mais decoro lhe conviesse, optava pela solicitude, pálido. Tomava o ar um ar de antecâmara, tudo ali aumentava de grave. A família já fora avisada? Não, e melhor, nada: família vexa e vencilha. Querendo-se conquanto as verticais providências, o que ficava por nossa má-arte. Tinha-se de parlamentar com o demente, em não havendo outro meio nem termo. Falar para fazer momento; era o caso. E, em menos desniveladas relações, como entrosar-se, físico, o diálogo?

Se era preciso um palanque? — disse-se. Com que, então sem mais, já aparecia — o cônico cartucho ou cumbuca — um alto-falante dos bombeiros. O dr. Diretor ia razoar a causa: penetrar em o labirinto de um espírito, e — a marretadas do intelecto — baqueá-lo, com doutoridade. Toques, crebros, curtos, de sirene, o incerto silêncio geraram. O dr. Diretor, mestre do urso e da dança, empunhava o preto cornetão, embocava-o. Visava-o para o alto, circense, e nele trombeteiro soprava. — *"Excelência!..."* — começou, sutil, persuasivo; mal. — *"Excelência..."* — e tenha-se, mesmo, que com tresincondigna mesura. Sua calva foi que se luziu, de metalóide ou metal; o dr. Diretor gordo e baixo. Infundado, o povo o apupou: — *"Vergonha, velho!"* — e — *"larga, larga!..."* Deste modo, só estorva, a leiga opinião, quaisquer clérigas ardilidades.

Todo abdicativo, o dr. Diretor, perdido o comando do tom, cuspiu e se enxaguava de suor, soltado da boca o instrumento. Mas não passou o megafone ao professor Dartanhã, o que claro. Nem a Sandoval, prestante, nem ao Adalgiso, a cujos lábios. Nem ao dr. Bilôlo, que o querendo, nem ao dr. Enéias, sem voz usual. A quem, então pois? A mim, mi, me, se vos parece; mas só enfim. Temi quando obedeci, e muito siso havia mister. Já o dr. Diretor me ditava:

— *"Amigo, vamos fazer-lhe um favor, queremos cordialmente ajudá-lo..."* — produzi, pelo conduto; e houve eco. — *"Favor? De baixo para cima?..."* — veio a resposta, assaz sonora. Estava ele em fase de aguda agulha. Havia que o questionar. E, a novo mando do dr. Diretor, chamei-o, minha boca, com intimativa: — *"Psiu! Ei! Escute! Olhe!..."* — altiloqüei. — *"Vou falir de bens?"* — ele altitonava. Deixava que eu prosseguisse; a sua devendo de ser uma compreensão entediada. Se lhe de deveres e afetos falei! — *"O amor é uma estupefação..."* — respondeu-me. (*Aplausos.*) Para tanto tinha poder: de fazer, vezes, um *oah-oa-oah!* — mão na boca — cavernoso. Intimou ainda: — *"Tenha-se paciência!..."* E: — *"Hem? Quem? Hem?"* — fez, pessoalmente, o dr. Diretor, que o aparelho, sôfrego, me arrebatara. — *"Você, eu, e os neutros..."* — retrucou o homem; naquele elevado incongruir, sua imaginação não se entorpecia. De nada, esse ineficaz paralaparacaparlar, razões de quiquiriqui, a boa nossa verbosia; a não ser a atiçar-lhe mais a mioleira, para uma verve endiabrada. Desistiu-se, vem que bem ou mal, do que era querer-se amimar a murros um porco-espinho. Do qual, de tão de cima, ainda se ouviu, a final, pérfida pergunta: — *"Foram às últimas hipóteses?"*

Não. Restava o que se inesperava, dando-se como sucesso de ipso-facto. Chegava... O quê? O que crer? O próprio! O vero e são, existente, Secretário das Finanças Públicas — ipso. Posto que bem de terra surgia, e desembarafustadamente. Opresso. Opaco. Abraçava-nos, a cada um de nós se dava, e aliás o adulávamos, reconhecentemente, como ao Pródigo o pai ou o cão a Ulisses. Quis falar, voz inarmônica; apontou causas; temia um sósia? Subiam-no ao carro dos bombeiros, e, aprumado, primeiro perfez um giro sobre si, em tablado, completo, adequando-se à expositura. O público lhe devia. — *"Concidadãos!"* — ponta dos pés. — *"Eu estou aqui, vós me vêdes. Eu não sou aquele! Suspeito exploração, calúnia, embuste, de inimigos e adversários..."* De rouco, à força, calou-se, não se sabe se mais com bens ou que males. O outro, já agora ex-pseudo, destituído, escutou-o com ociosidade. De seu conquistado poleiro, não parava de dizer que "sim", acenado.

Era meio-dia em mármore. Em que curiosamente não se tinha fome nem sede, de demais coisas qual que me lembrava. Súbita voz: — *"Vi a Quimera!"* — bradou o homem, importuno, impolido; irara-se. E quem e que era? Por ora, agora, ninguém, nulo, joão, nada, sacripante, qüídam. Desconsiderando a moral elementar, como a conceito relativo: o que provou, por sinais muito claros. Desadorava. Todavia, ao jeito jocoso, fazia-se de castelo-no-ar. Ou era pelo épico epidérmico? Mostrou — o que havia entre a pele e a camisa.

Pois, de repente, sem espera, enquanto o outro perorava, ele se despia. Deu-se à luz, o fato sendo, pingo por pingo. Sobre nós, sucessivos, esvoaçantes — paletó, cueca, calças — tudo a bandeiras despregadas. Retombando-lhe a camisa, por fim, panda, aérea, aeriforme, alva. E feito o forró! — foi — balbúrdias. Na multidão havia mulheres, velhas, moças, gritos, mouxe-trouxe, e trouxe-mouxe, desmaios. Era, no levantar os olhos, e o desrespeitável público assistia — a ele *in puris naturalibus*. De quase alvura enxuta de aipim, na verde coma e fronde da palmeira, um lídimo desenroupado. Sabia que estava a transparecer, apalpava seus membros corporais. — *"O síndrome..."* — o Adalgiso observou; de novo nos confusionávamos. — *"Síndrome exofrênico de Bleuler..."* — pausado, exarou o Adalgiso. Simplificava-se o homem em escândalo e emblema, e franciscano magnifício, à força de sumo contraste. Mas se repousava, já de humor benigno, em condições de primitividade.

Com o que — e tanta folia — em meio ao acrisolado calor, suavam e zangavam-se as autoridades. Não se podendo com o desordeiro, tão subversor e anônimo? Que havia que iterar, decidiram, confabulados: arcar com os cornos do caso. Tudo se pôs em movimento, troada a ordem outra vez, breve e bélica, à fanfarra — para o cometimento dos bombeiros. Nosso rancho e adro, agora de uma largura, rodeado de cordas e polícias; já ali se mexendo os jornalistas, repórteres e fotógrafos, um punhado; e filmavam.

O homem, porém, atento, além de persistir em seus altos intentos, guisava-se também em trabalho muito ativo. Contara, decerto, com isso, de maquinar-se-lhe outra esparrela. Tomou cautela. Contra-atacava. Atirou-se acima, mal e mais arriba, desde que tendo início o salvatério: contra a vontade, não o salvavam! Até; se até. A erguer-se das palmas movediças, até ao sumo vértice; ia já atingir o espique, ver e ver que com grande risco de precipitar-se. O exato era ter de falhar — com uma evidência de cachoeira. — *"É hora!"* — foi nossa interjeição golpeada; que, agora, o que se sentia é que era o contrário do sono. Irrespirava-se. Naquela porção de silêncios, avançavam os bombeiros, bravos? Solerte, o homem, ao último ponto, sacudiu-se, se balançava, eis: misantropóide gracioso, em artificioso equilíbrio, mas em seu eixo extraordinário. Disparatou mais: — *"Minha natureza não pode dar saltos?..."* — e, à pompa, ele primava.

Tanto é certo que também divertia-nos. Como se ainda carecendo de patentear otimismo, mostrava-nos insuspeitado estilo. Dandinava. Recomplicou-se, piorou, a pausa. Sua queda e morte, incertas, sobre nós pairando, altanadas. Mas, nem caindo e morrendo, dele ninguém nada entenderia. Estacavam, os bombeiros. Os bombeiros recuavam. E a alta escada desandou, desarquitetou-se, encaixava-se. Derrotadas as autoridades, de novo, diligentes, a repartir-se entre cuidados. Descobri, o que nos faltava. Ali, uma forte banda-de-música, briosa, à dobrada. Do alto daquela palmeira, um ser, só, nos contemplava.

Dizendo sorrindo o Capelão: — *"Endemoninhado..."*

Endemoninhados, sim, os estudantes, legião, que do sul da praça arrancavam? — de onde se haviam concentrado. Dado que roda-viveu um rebuliço, de estrépito, de assaltada. Em torrente, agora, empurravam passagem. Ideavam ser o homem um dos seus, errado ou certo, pelo que juravam resgatá-lo. Era um custo, a duro, contê-los, à estudantada. Traziam invisa bandeira, além de fervor hereditário. Embestavam. Entrariam em ato os cavalarianos, esquadrões rompentes, para a luta com o nobre e jovem povo. Carregavam? Pois, depois. Maior a atrapalhação. Tudo tentava evoluir, em tempo mais vertiginoso e revelado. Virou a ser que se pediam reforços, com vistas a pôr-se a praça esvaziada; o que vinha a ponto. Porém, também entoavam-se inacionais hinos, contagiando a multaturba. E paz?

De ás e roque e rei, atendeu a isso, trepado no carro dos bombeiros, o Secretário da Segurança e Justiça. Canoro, grosso, não gracejou: —*"Rapazes! Sei que gostam de me ouvir. Prometo, tudo..."* — e verdade. Do que, aplaudiram-no, em sarabando, de seus antecedentes se fiavam. Deu-se logo uma remissão, e alguma calma. Na confusão, pelo sim pelo não, escapou-se, aí, o das-Finanças-Públicas Secretário. Em fato, meio quebrado de emoções, ia-se para a vida privada.

Outra coisa nenhuma aconteceu. O homem, entre o que, entreaparecendo, se ajeitara, em bêrço, em seus palmares. Dormindo ou afrouxando de se segurar, se ele desse de torpefazer-se, e enfim, à espatifação, malhar abaixo? De como podendo manter-se rijo incontável tempo assim, aos circunstantes o professor Dartanhã explicava. Abusava de nossa paciência — um catatônico-hebefrênico — em estereotipia de atitude. — *"A frechadas logo o depunham, entre os parecis e nhambiquaras..."* — inteirou o dr. Bilôlo; contente de que a civilização prospere a solidariedade humana. Porque, sinceros, sensatos, por essa altura, também o dr. Diretor e o professor Dartanhã congraçavam-se.

Sugeriu-se nova expediência, da velha necessidade. Se, por tresloucо, não condescendesse, a apelo de algum argumento próximo e discreto? Ele não ia ressabiar; conforme concordou, consultado. E a ação armou-se e alou-se: a escada exploradora — que nem que canguru, um, ou louva-a-deus enorme vermelho — se desdobrou, em engenhingonça, até a mais de meio caminho no vácuo. Subia-a o dr. Diretor, impertérrito ousadamente, ele que naturalizava-se heróico. Após, subia eu descendo, feito Dante atrás de Virgílio. Ajudavam-nos os bombeiros. Ao outro, lá, no galarim, dirigíamo-nos, sem a própria orientação no espaço. A de nós ainda muitos metros, atendia-nos, e ao nosso latim perdido. Por que, brusco, então, bradou por: — *"Socôrro!..."* —?

Tão então outro tresbulício — e o mundo inferior estalava. Em fúria, arruaça e frenesis, ali a população, que a insanar-se e insanir-se, comandando-a seus mil motivos, numa alucinação de manicomiáveis. Depreque-se! — não fossem derrubar caminhão e escada. E tudo por causa do sobredito-cujo: como se tivesse ele instilado veneno nos reservatórios da cidade.

Reaparecendo o humano e estranho. O homem. Vejo que ele se vê, tive de notá-lo. E algo de terrível de repente se passava. Ele queria falar, mas a voz esmorecida; e embrulhou-se-lhe a fala. Estava em equilíbrio de razão: isto é, lúcido, nu, pendurado. Pior que lúcido, relucidado; com a cabeça comportada. Acordava! Seu acesso, pois, tivera termo, e, da idéia delirante, via-se dessonambulizado. Desintuído, desinfluído — se não se quando — soprado. Em doente consciência, apenas, detumescera-se, recuando ao real e autônomo, a seu mau pedaço de espaço e tempo, ao sem-fim do comedido. Aquele pobre homem descoroçoava. E tinha medo e tinha horror — de tão novamente humano. Teria o susto reminiscente — do que, recém, até ali, pudera fazer, com perigo e preço, em descompasso, sua inteligência em calmaria. Sendo agora para desempenhar-se, de um momento para nenhum outro. Tremi, eu, comiserável. Vertia-se, caía? Tiritávamos. E era o impasse da mágica. É que ele estava em si; e pensava. Penava — de vexame e acrofobia. Lá, ínfima, louca, em mar, a multidão: infernal, ululava.

Daí, como sair-se, do lance, desmanchado o firme burgo? Entendi-o. Não tinha rosto com que aparecer, nem roupas — bufão, truão, tranca — para enfrentar as razões finais. Ele hesitava, electrochocado. Preferiria, então, não salvar-se? Ao drama no catafalco, emborcava-se a taça da altura. Um homem é, antes de tudo, irreversível. Todo pontilhado na esfera de dúvida, propunha-se em outra e imensurável distância, de milhões e trilhões de palmeiras. Desprojetava-se, coitado, e tentava agarrar-se, inapto, à Razão Absoluta? Adivinhava isso o desvairar da multidão espaventosa — enlouquecida. Contra ele, que, de algum modo, de alguma maravilhosa continuação, de repente nos frustrava. Portanto, em baixo, alto bramiam. Feros, ferozes. Ele estava são. Vesânicos, queriam linchá-lo.

Aquele homem apiedava diferentemente — de fora da província humana. A precisão de viver vencia-o. Agora, de gambá num atordoamento, requeria nossa ajuda. Em fácil pressa atuavam os bombeiros, atirando-se a reaparecê-lo e retrazê-lo — prestidigitavam-no. Rebaixavam-no, com tábuas, cordas e peças, e, com seus outros meios apocatastáticos. Mas estava salvo. Já, pois. Isto e assim. Iria o povo destruí-lo?

Ainda não concluindo. Antes, ainda na escada, no descendimento, ele mirou, melhor, a multidão, deogenésica, diogenista. Vindo o quê, de qual cabeça, o caso que já não se esperava. Deu-nos outra cor. Pois, tornavam a endoidá-lo? Apenas proclamou: — *"Viva a luta! Viva a Liberdade!"* — nu, adão, nado, psiquiartista. Frenéticos, o ovacionaram, às dezenas de milhares se abalavam. Acenou, e chegou em baixo, incólume. Apanhou então a alma de entre os pés, botou-se outro. Aprumou o corpo, desnudo, definitivo.

Fez-se o monumental desfecho. Pegaram-no, a ombros, em esplêndido, levaram-no carregado. Sorria, e, decerto, alguma coisa ou nenhuma proferia. Ninguém poderia deter ninguém, naquela desordem do povo pelo povo. Tudo se desmanchou em andamento, espraiando-se para trivialidades. Vivera-se o dia. Só restava imudada, irreal, a palmeira.

Concluindo. Dando-se que, em pós, desafogueados, trocavam-se pelos paletós os aventais. Modulavam drásticas futuras providências, com o professor Dartanhã, ex-professo, o dr. Diretor e o dr. Enéias — alienistas. — *"Vejo que ainda não vi bem o que vi..."* — referia Sandoval, cheio de cepticismo histórico. — *"A vida é constante, progressivo desconhecimento..."* — definiu o dr. Bilôlo, sério, entendo que, pela primeira vez. Pondo o chapéu, elegantemente, já que de nada se sentia seguro. A vida era à hora.

Apenas nada disse o Adalgiso, que, sem aparente algum motivo, agora e sempre súbito assustava-nos. Ajuizado, correto, circunspecto demais: e terrível, ele, não em si, insatisfatório. Visto que, no sonho geral, permanecera insolúvel. Dava-me um frio animal, retrospectado. Disse nada. Ou talvez disse, na pauta, e eis tudo. E foi para a cidade, comer camarões.

Substância

Sim, na roça o polvilho se faz a coisa alva: mais que o algodão, a garça, a roupa na corda. Do ralo às gamelas, da masseira às bacias, uma polpa se repassa, para assentar, no fundo da água e leite, azulosa — o amido — puro, limpo, feito surpresa. Chamava-se Maria Exita. Datava de maio, ou de quando? Pensava ele em maio, talvez, porque o mês mor — de orvalho, da Virgem, de claridades no campo. Pares se casavam, arrumavam-se festas; numa, ali, a notara: ela, flor. Não lembrava a menina, feiosinha, magra, historiada de desgraças, trazida, havia muito, para servir na Fazenda. Sem se dar idéia, a surpresa se via formada. Se, às vezes, por assombro, uma moça assim se embelezava, também podia ter sido no tanto-e-tanto. Só que a ele, Sionésio, faltavam folga e espírito para primeiro reparar em transformações.

Saíra da festa em começo, dada mal sua presença; pois a vida não lhe deixava cortar pelo sono: era um espreguiçar-se ao adormecer, para poupar tempo no despertar. Para a azáfama — de farinha e polvilho. Célebres, de data, na região e longe, os da Samburá; herdando-a, de repente, Seo Nésio, até então rapaz de madraças visagens, avançara-se com decisão de açoite a desmedir-lhes o fabrico. Plantava à vasta os alqueires de mandioca, que, ali, aliás, outro cultivo não vingava; chamava e pagava braços; espantava, no dia a dia, o povo. Nem por nada teria adiantado atenção a uma criaturinha, a qual.

Maria Exita. Trouxera-a, por piedade, pela ponta da mão, receosa de que o patrão nem os outros a aceitassem, a velha Nhatiaga, peneireira. Porque, contra a menos feliz, a sorte sarapintara de preto portais e portas: a mãe, leviana, desaparecida de casa; um irmão, perverso, na cadeia, por atos de morte; o outro, igual feroz, foragido, ao acaso de nenhuma parte; o pai, razoável bom-homem, delatado com a lepra, e prosseguido, decerto para sempre, para um lazareto. Restassem-lhe nem afastados parentes; seja, recebera madrinha, de luxo e rica, mas que pelo lugar apenas passara, agora ninguém sabendo se e onde vivia. Acolheram-na, em todo o caso. Menos por direta pena; antes, da compaixão da Nhatiaga. Deram-lhe, porém, ingrato serviço, de todos o pior: o de quebrar, à mão, o polvilho, nas lajes.

Sionésio, de tarde, de volta, cavalgava através das plantações. Se a meio-galope, se a passo, mas sôfrego descabido, olhando quase todos os lados. Ainda num domingo, não parava, pois. Apenas, por prazo, em incertas casas, onde lhe dessem, ao corpo, consolo: atendimento de repouso. Lá mesmo, por último, demorava um menos. Prazer era ver, aberto, sob o fim do sol, o mandiocal de verdes mãos. Amava o que era seu — o que seus fortes olhos aprisionavam. Agora, porém, uma fadiga. O ensimesmo. Sua sela se coçava de uso, aqui a borraina aparecendo; tantas coisas a renovar, e ele sem sequer o tempo. Nem para ir de visita, no Morro-do-Boi, à quase noiva, comum no sossego e paciências, da terra, em que tudo se relevava pela medida das distâncias. Chegava à Fazenda. Todavia, esporeava.

O quieto completo, na Samburá, no domingo, o eirado e o engenho desertos, sem eixo de murmúrio. Perguntara à Nhatiaga, pela sua protegida. — *"Ela parte o polvilho nas lajes..."* — a velha resumira. Mas, e até hoje, num serviço desses? Ao menos, agora, a mudassem! — *"Ela é que quer, diz que gosta. E é mesmo, com efeito..."* — a Nhatiaga sussurrava. Sionésio, saber que ela, de qualquer modo, pertencia e lidava ali, influía-lhe um contentamento; ele era a pessoa manipulante. Não podia queixar-se. Se o avio da farinha se pelejava ainda rústico, em breve o poderia melhorar, meante muito, pôr máquinas, dobrar quantidades.

Demorara para ir vê-la. Só no pino do meio-dia — de um sol do qual o passarinho fugiu. Ela estava em frente da mesa de pedra; àquela hora, sentada no banquinho rasteiro, esperava que trouxessem outros pesados, duros blocos de polvilho. Alvíssimo, era horrível, aquilo. Atormentava, torturava: os olhos da pessoa tendo de ficar miudinho fechados, feito os de um tatu, ante a implacável alvura, o sol em cima. O dia inteiro, o ar parava levantado, aos tremeluzes, a gente se perdendo por um negrume do horizonte, para temperar a intensidade brilhante, branca; e tudo cerradamente igual. Teve dó dela — pobrinha flor. Indagou: — *"Que serviço você dá?"* — e era a tola questão. Ela não se vexou. Só o mal-e-mal, o boquinãoabrir, o sorriso devagar. Não se perturbava. Também, para um pasmar-nos, com ela acontecesse diferente: nem enrugava o rosto, nem espremia ou negava os olhos, mas oferecidos bem abertos — olhos desses, de outra luminosidade. Não parecia padecer, antes tirar segurança e folguedo, do triste, sinistro polvilho, portentoso, mais a maldade do sol. E a beleza. Tão linda, clara, certa — de avivada carnação e airosa — uma iazinha, moça feita em cachoeira. Viu que, sem querer, lhe fazia cortesia. Falou-lhe, o assunto fora de propósito: que o polvilho, ali, na Samburá, era muito caprichado, justo, um dom de branco, por isso para a Fábrica valia mais caro, que os outros, por aí, feiosos, meio tostados...

Depois, foi que lhe contaram. Tornava ainda, a cavalo, seu coração não enganado, como sendo sempre desiguais os domingos; de tarde, aí que as rolinhas e os canários cantavam. Se bem — ele ali o dono — sem abusar da vantagem. *"De suas maneiras, menina, me senti muito agradado..."* — repetia um futuro talvez dizer. A Maria Exita. Sabia, hoje: a alma do jeito e ser, dela, diversa dos outros. Assim, que chegara lá, com os vários sem-remédios de amargura, do oposto mundo e maldições, sozinha de se sufocar. Aí, então, por si sem conversas, sem distraídas beiras, nenhumas, aportara àquele serviço — de toda a despreferência, o trabalho pedregoso, no quente feito boca-de-forno, em que a gente sente engrossar os dedos, os olhos inflamados de ver, no deslumbrável. Assoporava-se sob refúgio, ausenciada? Destemia o grado, cruel polvilho, de abater a vista, intacto branco. Antes, como a um alcanforar o fitava, de tanto gosto. Feito a uma espécie de alívio, capaz de a desafligir; de muito lhe dar: uma esperança mais espaçosa. Todo esse tempo. Sua beleza, donde vinha? Sua própria, tão firme pessoa? A imensidão do olhar — doçuras. Se um sorriso; artes como de um descer de anjos. Sionésio nem entendia. Somente era bom, a saber feliz, apesar dos ásperos. Ela — que dependendo só de um aceno. Se é que ele não se portava alorpado, nos rodeios de um caramujo; estava amando mais ou menos.

"Se outros a quisessem, se ela já gostasse de alguém?" — as asas dessa cisma o saltearam. Tantos, na faina, na Samburá, namoristas; e às festas — a idéia lhe doía. Mesmo de a figurar proseando com os próximos, no facilitar. Porém, o que ouviu, aquietava-o. Ainda que em graça para amores, tão formosa, ela parava a cobro de qualquer deles, de más ou melhores tenções. Resguardavam a seus graves de sangue. Temiam a herança da lepra, do pai, ou da falta de juízo da mãe, de levados fogos. Temiam a algum dos assassinos, os irmãos, que inesperado de a toda hora sobrevir, vigiando por sua virtude. Acautelavam. Assim, ela estava salva. Mas a gente nunca se provê segundo garantias perpétuas. Sionésio passara a freqüentar nas festas, princípios a fins. Não que dançasse; desgostava-o aquilo, a folgazarra. Ficava de lá, de olhos postos em, feito o urubu tomador de conta. Não a teria acreditado tão exata em todas essas instâncias — o quieto pisar, um muxoxozinho úmido prolongado, o jeito de pôr sua cinturinha nas mãos, feliz pelas pétalas, juriti nunca aflita. A mesma que no amanhã estaria defronte da mesa de laje, partindo o sol nas pedras do terrível polvilho, os calhaus, bitelões. Se dançava, era bem; mas as muito poucas vezes. Tinham-lhe medo, à doença incerta, sob a formosura. Ah, era bom, uma providência, esse pêjo de escrúpulo. Porque ela se via conduzida para não se casar nunca, nem podendo ser doidivã. Mas precisada de restar na pureza. Sim, do receio não se carecia. Maria Exita era a para se separar limpa e sem jaças, por cima da vida; e de ninguém. Nela homem nenhum tocava.

Sem embargo de que, ele, a queria, para si, sempre por sempre.

E, ela, havia de gostar dele, também, tão certamente.

Mas, no embaraço de inconstantes horas — às esperanças velhas e desanimações novas — de entre-momentos. Passava por lá, sem paz de vê-la, tinha um modo mordido de a admirar, mais ou menos de longe. Ela, no seu assento raso, quando não de pé, trabalhando a mãos ambas. Servia o polvilho — a ardente espécie singular, secura límpida, material arenoso — a massa daquele objeto.

Ou, o que vinha ainda molhado, friável, macio, grudando-se em seus belos braços, branqueando-os até para cima dos cotovelos. Mas que, toda-a-vida, de solsim brilhava: os raios reflexos, que os olhos de Sionésio não podiam suportar, machucados, tanto valesse olhar para o céu e encarar o próprio sol.

As muitas semanas castigavam-no, amiúde nem conseguia dormir, o que era ele mesmo contra ele mesmo, consumição de paixão, romance feito. De repente, na madrugada, animava-se a vigiar os ameaços de chuva, erguia-se aos brados, acordando a todos: — *"Apanhar polvilho! Apanhar polvilho!..."* Corriam, em confusão de alarme, reunindo sacos, gamelas, bacias, para receber o polvilho posto ao ar, nas lajes, onde, no escuro da noite, era a única coisa a afirmar-se, como um claro de lagoa d'água, rodeado de criaturas estremunhadas e aflitas. Mal podia divisá-la, no polvoroso, mas contentava-o sua proximidade viva, quente presença, aliviando-o. Escutou que dela falassem: — *"Se não é que, no que não espera, a mãe ainda amanhece por ela... Ou a senhora madrinha..."* Salteou-se. Sem ela, de que valia a atirada trabalheira, o sobreesforço, crescer os produtos, aumentar as terras? Vê-la, quando em quando. A ela — a única Maria no mundo. Nenhumas outras mulheres, mais, no repousado; nenhuma outra noiva, na distância. Devia, então, pegar a prova ou o desengano, fazer a ação de a ter, na sisuda coragem, botar beiras em seu sonho. Se conversasse primeiro com a Nhatiaga? — achava, estapeou aquele pensamento contra a testa. Não receava a recusação. Consigo forcejava. Queria e não podia, dar volta a uma coisa. Os dias iam. Passavam as coisas, pretextadas. Que temia, pois, que não sabia que temesse? Por vez, pensou: era, ele mesmo, são? Tinha por onde a merecer? Olhava seus próprios dedos, seus pulsos, passava muito as mãos no rosto. A diverso tempo, dava o bravo: tinha raiva a ela. Tomara a ele que tudo ficasse falso, fim. Poder se desentregar da ilusão, mudar de parecer, pagar sossego, cuidar só dos estritos de sua obrigação, desatinada. Mas, no disputar do dia, criava as agonias da noite. Achou-se em lágrimas, fiel. Por que, então, não dizia hás nem eis, andava de mente tropeçada, pubo, assuntando o conselho, em deliberação tão grave — assim de cão para luar? Mas não podia. Mas veio.

A hora era de nada e tanto; e ela era sempre a espera. Afoito, ele lhe perguntou: — *"Você tem vontade de confirmar o rumo de sua vida?"* — falando-lhe de muito coração. — *"Só se for já..."* — e, com a resposta, ela riu clara e quentemente, decerto que sem a propositada malícia, sem menospreço. Devia de ter outros significados o rir, em seus olhos sacis.

Mas, de repente, ele se estremeceu daquelas ouvidas palavras. De um susto vindo de fundo: e a dúvida. *Seria ela igual à mãe?* — surpreendeu-se mais. *Se a beleza dela — a frutice, da pele, tão fresca, viçosa — só fosse por um tempo, mas depois condenada a engrossar e se escamar, aos tortos e roxos, da estragada doença?* — o horror daquilo o sacudia. Nem aguentou de mirar, no momento, sua preciosa formosura, traiçoeira. Mesmo, sem querer, entregou os olhos ao polvilho, que ofuscava, na laje, na vez do sol. Ainda que por instante, achava ali um poder, contemplado, de grandeza, dilatado repouso, que desmanchava em branco os rebuliços do pensamento da gente, atormentantes.

A alumiada surpresa.

Alvava.

Assim; mas era também o exato, grande, o repentino amor — o acima. Sionésio olhou mais, sem fechar o rosto, aplicou o coração, abriu bem os olhos. Sorriu para trás. Maria Exita. Socorria-a a linda claridade. Ela — ela! Ele veio para junto. Estendeu também as mãos para o polvilho — solar e estranho: o ato de quebrá-lo era gostoso, parecia um brinquedo de menino. Todos o vissem, nisso, ninguém na dúvida. E seu coração se levantou. — *"Você, Maria, quererá, a gente, nós dois, nunca precisar de se separar? Você, comigo, vem e vai?"* Disse, e viu. O polvilho, coisa sem fim. Ela tinha respondido: — *"Vou, demais."* Desatou um sorriso. Ele nem viu. Estavam lado a lado, olhavam para a frente. Nem viam a sombra da Nhatiaga, que quieta e calada, lá, no espaço do dia.

Sionésio e Maria Exita — a meios-olhos, perante o refulgir, o todo branco. Acontecia o não-fato, o não-tempo, silêncio em sua imaginação. Só o um-e-outra, um em-si-juntos, o viver em ponto sem parar, coraçãomente: pensamento, pensamôr. Alvor. Avançavam, parados, dentro da luz, como se fosse no dia de Todos os Pássaros.

— Tarantão, meu patrão...

SUSPA! — QUE ME NÃO DÃO NEM TEMPO PARA REPUXAR O cinto nas calças e me pôr debaixo de chapéu, sem vez de findar de beber um café nos sossegos da cozinha. Aí — ...*"ai-te..."* — a voz da mulher do caseiro declarou, quando o caso começou. Vi o que era. E, pois. Lá se ia, se fugia, o meu esmarte Patrão, solerte se levantando da cama, fazendo das dele, velozmente, o artimanhoso. Nem parecesse senhor de tanta idade, já sem o escasso juízo na cabeça, e aprazado de moribundo para daí a dia desses, ou horas ou semanas. *Ôi*, tenho de sair também por ele, já se vê, lhe corro todo atrás. Ao que, trancei tudo, assungo as tripas do ventre, viro que me viro, que a mesmo esmo, se me esmolambo, se me despenco, se me esbandalho: obrigações de meu ofício. — *"Ligeiro, Vagalume, não larga o velho!"* — acha ainda de me informar o caseiro Sô Vincêncio, presumo que se rindo, e: — *"Valha-me eu!"* — rogo, *ih*, danando-o, *êpa!* e desço em pulos passos esta velha escada de pau, duma droga, desta antiqüíssima fazenda, *ah...*

E o homem — no curral, trangalhadançando, zureta, de afobafo — se propondo de arrear cavalo! Me encostei nele, eu às ordens. Me olhou mal, conforme pior que sempre. — *"Tou meio precisado de nada..."* — me repeliu, e formou para si uma cara, das de desmamar crianças. Concordei. Desabanou com a cabeça. Concordei com o não. Aí ele sorriu, consigo meio mesmo. Mas mais me olhou, me desprezando, refrando: — *"Que, o que é, menino, é que é sério demais, para você, hoje!"* Me estorvo e estranhei, pelo peso das palavras. Vi que a gente estávamos era em tempo-de-guerra, mas com espadas entortadas; e que ele não ia apelar para manias antigas. E a gente, mesmo, vesprando de se mandar buscar, por conta dele, o doutor médico, da cidade, com sábias urgências! Jeito que, agora, o velho me mandava pôr as selas. Bom desatino! Nem queria os nossos, mansos, mas o baio-queimado, cavalão alto, e em perigos apresentado, que se notava. E o pedresão, nem mor nem menor. Os amaldiçoados, estes não eram de lá, da fazenda, senão que animais esconhecidos, pegados só para se saber depois de quem fosse que sejam. Obedeci, sem outro nenhum remédio de recurso; para maluco, maluco-e-meio, sei. O velho me pespunha o azul daqueles seus grandes olhos, ainda de muito mando delirados. Já estava com a barba no ar — aquela barba de se recruzar e baralhar, de nenhum branco fio certo. Fez fabulosos gestos. Ele estava melhor do que na amostra.

Mal pus pé em estrivos, já ele se saía pela porteira, no que esporeava. E eu — arre a Virgem — em seguimentos. Alto, o velho, inteiro na sela, inabalável, proposto de fazer e acontecer. O que era se ser um descendente de sumas grandezas e riquezas — um *Iô João-de-Barros-Diniz-Robertes!* — encostado, em maluca velhice, para ali, pelos muitos parentes, que não queriam seus incômodos e desmandos na cidade. E eu, por precisado e pobre, tendo de agüentar o restante, já se vê, nesta desentendida caceteação, que me coisa e assusta, passo vergonhas. O cavalo baio-queimado se avantajava, andadeiro de só espaços. Cavalo rinchão, capaz de algum derribamento. Será que o velho seria de se lhe impor? Suave, a gente se indo, pelo cerrado, a bom ligeiro, de lados e lados. O chapéu dele, abado pomposo, por debaixo porém surgindo os compridos alvos cabelos, que ainda tinha, não poucos. — *"Ei, vamos, direto, pegar o Magrinho, com ele hoje eu acabo!"* — bramou, que queria se vingar. O Magrinho sendo o doutor, o sobrinho-neto dele, que lhe dera injeções e a lavagem intestinal. — *"Mato! Mato, tudo!"* — esporeou, e mais bravo. Se virou para mim, aí deu o grito, revelando a causa e verdade: — *"Eu 'tou solto, então sou o demônio!"* A cara se balançava, vermelha, ele era claro demais, e os olhos, de que falei. Estava crente, pensava que tinha feito o trato com o Diabo!

P'r' onde vou? — a trote, a gente, pelas esquerdas e pelas direitas, pisando o cascalharal, os cavalos no bracear. O velho tendo boa mão na rédea. De mim, não há de ouvir, censuras minhas. Eu, meus mal-estares. O encargo que tenho, e mister, é só o de me poitar perto, e não consentir maiores desordens. Pajeando um traste ancião — o caduco que não caia! De qualquer repente, se ele, tão doente, por si se falecesse, que trabalhos medonhos que então não ia haver de me dar? Minha mexida, no comum, era pouca e vasta, o velho homem meu Patrão me danava-se. Me motejou: — *"Vagalume, você então pensa que vamos sair por aí é p'ra fazer crianças?"* A voz toda, sem sobrossos nem encalques. E ia ter a coragem de viagem, assim, a logradouros — tão sambanga se trajando? Sem paletó, só o todo abotoado colete, sujas calças de brim sem cor, calçando um pé de botina amarela, no outro pé a preta bota; e mais um colete, enfiado no braço, falando que aquele era a sua toalha de se enxugar. Um de espantos! E, ao menos, desarmado, senão que só com uma faca de mesa, gastada a fino e enferrujada — pensava que era capaz, contra o sobrinho, o doutor médico: ia pôr-lhe nos peitos o punhal! — feio, fulo. Mas, me disse, com o pausar: — *"Vagalume, menino, volta, daqui, não quero lhe fazer enfrentar, comigo, riscos terríveis."* Esta, então! Achava que tinha feito o trato com o Diabo, se dando agora de o mor valentão, com todas as sertanejices e braburas. Ah, mas, ainda era um homem — da raça que tivera — e o meu Patrão! Nisto, apontava dedo, para lá ou cá, e dava tiros mudos. Se avançou, à frente, só avançávamos, a fora, por aí, campampantes.

Por entre arvoredos grandes, ora demos, porém, com um incerto homem, desconfioso e quase fugidiço, em incerta montada. Podia-se-o ver ou não ver, com um tal sujeito não se tinha nada. Mas o velho adivinhou nele algum desar, se empertigando na sela, logo às barbas pragas: — *"Mal lhe irá!"* — gritou altamente. Aproximou seu cavalão, volumou suas presenças. Parecia que lhe ia vir às mãos. Não é que o outro, no tir-te, se encolheu, borrafofo, todo num empate? Nem pude regularizar o de meu olhar, tudo expresso e distenso demais se passava. O velho achando que esse era um criminoso! — e, depois, no Breberê, se sabendo: que ele o era, de fato, em meios termos. Isto que é, que somente um Sem-

Medo, ajudante de criminoso, mero. Nem pelejou para se fugir, dali donde moroso se achava; estava como o gato com chocalho. — *"Ai-te!"* — o velho, sacudindo sua cabeça grande, sem com que desenfezar-se: — *"Pague o barulho que você comprou!"* — o intimava. O ajudante-de-criminoso ouviu, fazendo uns respeitos, não sabendo o que não adiar. Aí, o velho deu ordem: — *"Venha comigo, vosmicê! Lhe proponho justo e bom foro, se com o sinal de meu servidor..."* E... É de se crer? Deveras. Juntou o homem seu cavalinho, bem por bem vindo em conosco. Meio coagido, já se vê; mas, mais meio esperançado.

Sem nem mais eu me sonhar, nem a quantas, frigido de calor e fartado. Aquilo tudo, já se vê, expunha a desarrazoada loucura. O velho, pronto em arrepragas e fioscas, no esbrabêjo, estrepa-e-pega. No gritar: — *"Mato pobres e coitados!"* Se figurava, nos trajos, de já ser ele mesmo o demo, no triste vir, na capetagem?

Só de déu e em léu tocávamos, num avante fantasmado. O ajudante-de-criminoso não se rindo, e eu ainda mais esquivançando. Nisto, o visto: a que ia com feixinho de lenha, e com a escarrapachada criança, de lado, a mulher, pobrepérrima. O velho, para vir a ela, apressou macio o cavalo. Receei, pasmado para tudo. O velho se safou abaixo o chapéu, fazia dessas piruetas, e outras gesticulações. Me achei: — *"Meu, meu, mau! Esta é aquela flor, de com que não se bater nem em mulher!"* Se bem que as coisas todas foram outras. O velho, pasmosamente, do doidar se arrefecia. Não é que, àquela mulher, ofereceu tamanhas cortesias? Tanto mais quanto ele só insistindo, acabou ela afinal aceitando: que o meu Patrão se apeou, e a fez montar em seu cavalo. Cuja rédea ele veio, galante, a pé, puxando. Assim, o nosso ajudante-de-criminoso teve de pegar com o feixe de lenha, e eu mesmo encarregado, com a criança a tiracolo. Se bem que nós dois montados; já se vê? — nessas peripécias de pato.

Só, feliz, que curta foi a farsalhança, até ali a pouco, num povoado. Onde o destino dessa pobre e festejada mulher, que se apeou, menos agradecida que envergonhada. Mas, veja um, e reveja, em o que às vezes dá uma boa patacoada. Por fato que, lá, havia, rústico, um "Felpudo", rapaz filho dessa mulher. O qual, num reviramento, se ateou de gratidões, por ver a mãe tão rainha tratada. Mas o velho determinou, sem lhe dar atualmentes nem ensejos: — *"Arranja cavalo e vem, sob minhas ordens, para grande vingança, e com o demônio!"* Advirto, desse Felpudo: tão bom como tão não, da mioleira. No que — não foi, quê? — saiu, para se prover do dito cavalo; e vir, a muito adiante. Para vexar o pejo da gente, nessa toda trapalhada. Das pessoas moradoras, e de nós, os terceiros personagens. Mas, que ser, que haver? Os olhos do velho se sucediam. Que estragos?

Se o que seja. Se boto o reto no correto: comecei a me duvidar. Tirar tempo ao tempo. Mas, já a gente já passávamos pelo povoadinho do M'engano, onde meu primo Curucutu reside. Cujo o nome vero não é, mas sendo João Tomé Pestana; assim como o meu, no certo, não seria *Vagalume*, só, só, conforme com agrado me tratam, mas João Dosmeuspés Felizardo. Meu primo vi, e a ele fiz sinal. Lhe pude dar, dito: — *"Arreia alguma égua, e alcança a gente, sem falta, que nem sei adonde ora andamos, a não ser que é do Dom Demo esta empreitada!"* Meu primo prestes me entendeu, acenou. E já a gente — haja o galopar — no encalço do velho, estramontado. Que, nisto de ainda mais se sair de si, desadoroso, num outro assomo ao avante se lançava: — *"Eu acabo com este mundo!"*

Aí, o mais: poeiras! Ao pino. E, depois de uma virada, o arraial do Breberê, a gente ia dar de lá chegar, de entrada. O vento tangendo, para nós, pedaços de toque de sinos. Do dia me lembrei: que sendo uma Festa de Santo. E uns foguetes pipoquearam, nesse interintintim, com no ar azuis e fumaças. O Patrão parou a nós todos, a gesto, levantado envaidecido: — *"Tão me saudando!"* — ele se comprouve, do *a-tchim-pum-pum* dos foguetes, que até tiros. Não se podia dele discordar. Nós: o ajudante-de-criminoso, o Felpudo filho da pobre mulher, meu primo Curucutu; e eu, por ofício. Que, de galope, no arraial então entrou-se, nós dele assim, atrasmente, acertados. No Breberê.

Foi danado. Lá o povo, se apinhando, no largo enorme da igreja, procissão que se aguardava. Ô velho! — ele veio, rente, perante, ponto em tudo, *pá! p'r' achato*, seu cavalão a se espinotear, *z't-zás...*; e nós. Aí, o povaréu fez vêvêvê: pé, p'rá lá, se esparziam. O velho desapeou, pernas compridas, engraçadas; e nós. Meio o que pensei, pus a rédea no braço: que íamos ter de pegar nos bentos tirantes do andor. Mas, o velho, mais, me pondo em espantos. Vem chegando, discordando, bradou vindas ao pessoal: — *"Vosmicês!..."* — e sacou o que teria em algibeiras. E tinha. Vazou pelo fundo. Era dinheiro, muitíssimas moedas, o que no chão ele jogava. *Suspa e ai-te!* — à choldraboldra, desataram que se embolaram, e a se curvar, o povo, em gatinhas, para poderem catar prodigiosamente aquela porqueira imortal. Tribuzamos. Safanamos. Empurrou-se para longe a confusão. No clareado, se tomou fôlego. Porém, durante esse que-o-quê, o padre, à porta da igreja, sobrevestido se surgia. O velho caminhou para o padre. Caminhou, chegou, dobrou joelho, para ser bem abençoado; mas, mesmo antes, enquanto que em caminhando, fez ainda várias outras ajoelhadas: — *"Ele está com um vapor na cabeça..."* — ouvi mote que glosavam. O velho, circunspecto, alto, se prazia, se abanava, em sua barba branca, sujada. — *"Só saiu de riba da cama, para vir morrer no sagrado?"* — outro senhor perguntava. O que qual era um "Cheira-Céu", vizinho e compadre do padre. Mais dizia: — *"A ele não abandono, que devo passados favores à sua estimável família."* Ouviu-o o velho: — *"Vosmicê, venha!"* E o outro, baixo me dizendo: — *"Vou, para o fim, a segurar na vela..."* — assentindo. Também quis vir um rapaz Jiló; por ganâncias de dinheiro? O velho, em fogo: — *"Cavalos e armas!"* — queria. O padre o tranqüilizou, com outra bênção e mão beijável. Já menos me achei: — *"Lá se avenha Deus com o seu mundo..."* Montou-se, expediu-se, esporeou-se, deixando-se o Breberê para trás. Os sinos em toada tocavam.

Seja — galopes. Depois de nenhum almoço, meio caminho desandado; isto é, caminho-e-meio. Ao que, o velho: *pá!* impava. Aí, em beira da estrada-real, parava o acampo dos ciganos. — *"Tira lá!"* — se teve: aos com cachorros e meninos, e os tachos, que consertavam. No burloló, esses ciganos, em trêtas, tramóias, zarandalhas; cigano é sempre descarado. No entendimento do vulgo: pois, esses, propunham cangancha, de barganhar todos os cavalos. — *"À p'r'-a-parte! Cruz, diabo!"* Mas o velho convocou; e um se quis, bandeou com a gente. O cigano Pé-de-Moleque; para possíveis patifarias? Me tive em admirações. Tantos vindo, se em seguida. Assim, mais um Gouveia "Barriga-Cheia", que já em outros tempos, piores, tinha sido ruim soldado. Já me vejo em adoidadas vantagens?

Assim a gente, o velho à frente — *tiplóco... t'plóco... t'plóco...* — já era cavalaria. Mais um, ainda, sem cujo nem quem: o vagabundo "Corta-Pau"; o sem-que-fazer, por influências. A gente, com Deus: onze! Ao adiante — tira-que-tira — num sossego revoltoso. Eu via o velho, meu Patrão: de louvada memória maluca, torre alta. Num córrego, ele estipulou: — *"Os cavalos bebem. A gente, não. A gente não tenha sede!"* Por áspera moderação, penitência de ferozes. O Patrão, pescoço comprido, o grande gogó, respeitável. O rei! guerreiro. Posso fartar de suar; mas aquilo tinha para grandezas.

— *"Mato sujos e safados!"* — o velho. Os cavalos, cavaleiros. Galopada. A gente: treze... e quatorze. A mais um outro moço, o "Bobo", e a menos um "João-Paulino". Aí, o chamado "Rapapé", e um amigo nosso por nome anônimo; e, por gostar muito de folguedos, o preto de Gorro-Pintado. Todos vindos, entes, contentes, por algum calor de amor a esse velho. A gente retumbava, avantes, a gente queria façanhas, na espraiança, nós assoprados. A gente queria seguir o velho, por cima de quaisquer idéias. Era um desembaraçamento — o de se prezar, haja sol ou chuva. E gritos de chegar ao ponto: — *"Mato mortos e enterrados!"* — o velho se pronunciava.

Ao que o velho sendo o que era por-todos, o que era no fechar o teatro. — *"Vou ao demo!"* — bramava. — *"Mato o Magrinho, é hoje, mato e mato, mato, mato!"* — de seu sobrinho doutor, iroso não se olvidava. Súspe-te! que eu não era um porqueira; e quem não entende dessas seriedades? Aí o trupitar — cavalos bons! — que quem visse se perturbasse: não era para entender nem fazer parar. Fechamos nos ferros. — *"Vigie-se, quem vive!"* — espandongue-se. Não era. Num galopar, ventos, flores. Me passei para o lado do velho, junto — *... tapatrão, tapatrão... tarantão... tarantão...* — e ele me disse: nada. Seus olhos, o outro grosso azul, certeiros, esses muito se mexiam. Me viu mil. — *"Vagalume!"* — só, só, cá me entendo, só de se relancear o olhar. — *"João é João, meu Patrão..." Aí: e — patrapão, tampantrão, tarantão...* — cá me entendo. Tarantão, então... — em nome em honra, que se assumiu, já se vê. Bravos! Que na cidade já se ia chegar, maiormente, à estrupida dos nossos cavalos, desbestada.

Agora, o que é que ia haver? — nem pensei; e o velho: — *"Eu mato! Eu mato!"* Ia já alta a altura. — *"Às portas e janelas, todos!"* — trintintim, no desbaralhado. E eu ali no meio. O um Vagalume, Dosmeuspés, o Sem-Medo, Curucutu, Felpudo, Cheira-Céu, Jiló, Pé-de-Moleque, Barriga-Cheia, Corta-Pau, Rapa-pé, o Bobo, o Gorro-Pintado; e o sem-nome nosso amigo. O Velho, servo do demo — só bandeiras despregadas. O espírito de pernas-para-o-ar, pelos cornos da diabrura. E estávamos afinal-de-contas, para cima de outros degraus, os palhaços destemidos. Estávamos, sem até que a final. Ah, já era a rua.

A cidade — catastrapes! Que acolhenças? A cidade, estupefacta, com automóveis e soldados. Aquelas ruas, aldemenos, consideraram nosso maltrupício. A gente nem um tico tendo medo, com o existido não se importava. Ah, e o Velho, estardalhão? — que jurava que matava. Pois, o demo! vamos... O Velho sabia bem, aonde era o lugar daquela casa.

Lá fomos, chegamos. A grande, bela casa. O meu em glórias Patrão, que saudoso. Ao chegar a este momento, tenho os olhos embaciados. Como foi, crente, como foi, que ele tinha adivinhado? Pois, no dia, na hora justa, ali uma festa se dava. A casa, cheia de gente, chiquetichique, para um batizado: o de filha do Magrinho, doutor! Sem temer leis, nem flauteio, por ali entramos, de rajada. Nem ninguém para impedimento — criados, pessoas, mordomado. Com honra. Se festava!

Com surpresas! A família, à reunida, se assombrava gravemente, de ver o Velho rompendo — em formas de mal-ressuscitado; e nós, atrás, nesse estado. Aquela gente, da assemblança, no estatelo, no estremunho. Demais. O que haviam: de agora, certos sustos em remorsos. E nós, empregando os olhos, por eles. O instante, em tento. A outra instantaneação. Mas, então, foi que de repente, no fechar do aberto, descomunal. O Velho nosso, sozinho, alto, nos silêncios, bramou — *dlão!* — ergueu os grandes braços:

— *"Eu pido a palavra..."*

E vai. Que o de bem se crer? Deveras, que era um pasmar. Todos, em roda de em grande roda, aparvoados mais, consentiram, já se vê. Ah, e o Velho, meu Patrão para sempre, primeiro tossiu: *bruba!* — e se saiu, foi por aí embora a fora, sincero de nada se entender, mas a voz portentosamente, sem paradas nem definhezas, no ror e rolar das pedras. Era de se suspender a cabeça. Me dava os fortes vigores, de chorar. Tive mais lágrimas. Todos, também; eu acho. Mais sentidos, mais calados. O Velho, fogoso, falava e falava. Diz-se que, o que falou, eram baboseiras, nada, idéias já dissolvidas. O Velho só se crescia. Supremo sendo, as barbas secas, os históricos dessa voz: e a cara daquele homem, que eu conhecia, que desconhecia.

Até que parou, porque quis. Os parentes se abraçavam. Festejavam o recorte do Velho, às quantas, já se vê. E nós, que atrás, que servidos, de abre-tragos, desempoeirados. Porque o Velho fez questão: só comia com todos os dele em volta, numa mesa, que esses seus cavaleiros éramos, de doida escolta, já se vê, de garfo e faca. Mampamos. E se bebeu, já se vê. Também o Velho de tudo provou, tomou, manjou, manducou — de seus próprios queixos. Sorria definido para a gente, aprontando longes. Com alegrias. Não houve demo. Não houve mortes.

Depois, ele parou em suspensão, sozinho em si, apartado mesmo de nós, parece'que. Assaz assim encolhido, em pequenino e tão em claro: quieto como um copo vazio. O caseiro Sô Vincêncio não o ia ver, nunca mais, à doidiva, nos escuros da fazenda. Aquele meu esmarte Patrão, com seu trato excelentriste — *Iô João-de-Barros-Diniz-Robertes.* Agora, podendo daqui para sempre se ir, com direito a seu inteiro sossego. Dei um soluço, cortado. Tarantão — então... Tarantão... Aquilo é que era!

Os cimos

O inverso afastamento

Outra era a vez. De sorte que de novo o Menino viajava para o lugar onde as muitas mil pessoas faziam a grande cidade. Vinha, porém, só com o Tio, e era uma íngreme partida. Entrara aturdido no avião, a esmo tropeçante, enrolava-o de por dentro um estufo como cansaço; fingia apenas que sorria, quando lhe falavam. Sabia que a Mãe estava doente. Por isso o mandavam para fora, decerto por demorados dias, decerto porque era preciso. Por isso tinham querido que trouxesse os brinquedos, a Tia entregando-lhe ainda em mão o preferido, que era o de dar sorte: um bonequinho macaquinho, de calças pardas e chapéu vermelho, alta pluma. O qual, o prévio lugar dele sendo na mesinha, em seu quarto. Pudesse se mexer e viver de gente, e havia de ser o mais impagável e arteiro deste mundo. O Menino cobrava maior medo, à medida que os outros mais bondosos para com ele se mostravam. Se o Tio, gracejando, animava-o a espiar na janelinha ou escolher as revistas, sabia que o Tio não estava de todo sincero. Outros sustos levava. Se encarasse pensamento na lembrança da Mãe, iria chorar. A Mãe e o sofrimento não cabiam de uma vez no espaço de instante, formavam avesso — do horrível do impossível. Nem ele isso entendia, tudo se transtornando então em sua cabecinha. Era assim: alguma coisa, maior que todas, podia, ia acontecer?

Nem valia espiar, correndo em direções contrárias, as nuvens superpostas, de longe ir. Também, todos, até o piloto, não eram tristes, em seus modos, só de mentira no normal alegrados? O Tio, com uma gravata verde, nela estava limpando os óculos, decerto não havia de ter posto a gravata tão bonita, se à Mãe o perigo ameaçasse. Mas o Menino concebia um remorso, de ter no bolso o bonequinho macaquinho, engraçado e sem mudar, só de brinquedo, e com a alta pluma no chapeuzinho encarnado. Devia jogar fora? Não, o macaquinho de calças pardas se dava de também miúdo companheiro, de não merecer maltratos. Desprendeu somente o chapeuzinho com a pluma, este, sim, jogou, agora não havia mais. E o Menino estava muito dentro dele mesmo, em algum cantinho de si. Estava muito para trás. Ele, o pobrezinho sentado.

O quanto queria dormir. A gente devia poder parar de estar tão acordado, quando precisasse, e adormecer seguro, salvo. Mas não dava conta. Tinha de tornar a abrir demais os olhos, às nuvens que ensaiam esculturas efêmeras. O Tio olhava no relógio. Então, quando chegavam? Tudo era, todo-o-tempo, mais ou menos igual, as coisas ou outras. A gente, não. A vida não parava nunca, para a gente poder viver direito, concertado? Até o macaquinho sem chapéu iria conhecer do mesmo jeito o tamanho daquelas árvores, da mata, pegadas ao terreiro da casa. O pobre do macaquinho, tão pequeno, sozinho, tão sem mãe; pegava nele, no bolso, parecia que o macaquinho agradecia, e, lá dentro, no escuro, chorava.

Mas, a Mãe, sendo só a alegria de momentos. Soubesse que um dia a Mãe tinha de adoecer, então teria ficado sempre junto dela, espiando para ela, com força, sabendo muito que estava e que espiava com tanta força, ah. Nem teria brincado, nunca, nem outra coisa nenhuma, senão ficar perto, de não se separar nem para um fôlego, sem carecer de que acontecesse o nada. Do jeito feito agora, no coração do pensamento. Como sentia: com ela, mais do que se estivessem juntos, mesmo, de verdade.

O avião não cessava de atravessar a claridade enorme, ele voava o vôo — que parecia estar parado. Mas no ar passavam peixes negros, decerto para lá daquelas nuvens: lombos e garras. O Menino sofria sofreado. O avião então estivesse parado voando — e voltando para trás, mais, e ele junto com a Mãe, do modo que nem soubera, antes, que o assim era possível.

Na casa, que não mudara, entre e adiante das árvores, todos começaram a tratá-lo com qualidade de cuidado. Diziam que era pena não haver ali outros meninos. Sim, daria a eles os brinquedos; não queria brincar, mais nunca. Enquanto a gente brincava, descuidoso, as coisas ruins já estavam armando a assanhação de acontecer: elas esperavam a gente atrás das portas.

Também não dava vontade sair de *jeep*, com o Tio, se para a poeira, gente e terra. Segurava-se forte, fechados os olhos; o Tio disse que ele não devia se agarrar com tão tesa força, mas deixar o corpo no ir e vir dos solavancos do carro. Se adoecesse, grave, também, que fosse — como ia ficar, mais longe da Mãe, ou mais perto? Ele mordeu seu coração. Nem quis falar com o macaquinho bonequinho. O dia, inteiro, servia era para se fazer o espalhamento no cansaço.

Mesmo assim, à noite, não começava a dormir. O ar daquele lugar era friinho, mais fino. Deitado, o Menino se sentia sustoso, o coração dando muita pancada. A Mãe, isto é... E não podia logo dormir, e pela dita causa. O calado, o escuro, a casa, a noite — tudo caminhava devagar, para o outro dia. Ainda que a gente quisesse, nada podia parar, nem voltar para trás, para o que a gente já sabia, e de que gostava. Ele estava sozinho no quarto. Mas o bonequinho macaquinho não era mais o para a mesa de cabeceira: era o camarada, no travesseiro, de barriguinha para cima, pernas estendidas. O quarto do Tio ficava ao lado, a parede estreita, de madeira. O Tio ressonava. O macaquinho, quase também, feito um muito velho menino. Alguma coisa da noite a gente estivesse furtando?

E, vindo o outro dia, no não-estar-mais-dormindo e não-estar-ainda-acordado, o Menino recebia uma claridade de juízo — feito um assopro — doce, solta. Quase como assistir às certezas lembradas por um outro; era que nem uma espécie de cinema de desconhecidos pensamentos; feito ele estivesse podendo copiar no espírito idéias de gente muito grande. Tanto, que, por aí, desapareciam, esfiapadas.

Mas, naquele raiar, ele sabia e achava: que a gente nunca podia apreciar, direito, mesmo, as coisas bonitas ou boas, que aconteciam. Às vezes, porque sobrevinham depressa e inesperadamente, a gente nem estando arrumado. Ou esperadas, e então não tinham gosto de tão boas, eram só um arremedado grosseiro. Ou porque as outras coisas, as ruins, prosseguiam também, de lado e do outro, não deixando limpo lugar. Ou porque faltavam ainda outras coisas, acontecidas em diferentes ocasiões, mas que careciam de formar junto com aquelas, para o completo. Ou porque, mesmo enquanto estavam acontecendo, a gente sabia que elas já estavam caminhando, para se acabar, roídas pelas horas, desmanchadas... O Menino não podia ficar mais na cama. Estava já levantado e vestido, pegava o macaquinho e o enfiava no bolso, estava com fome.

O alpendre era um passadiço, entre o terreirinho mais a mata e o extenso outro-lado — aquele escuro campo, sob rasgos, neblinas, feito um gelo, e os perolins do orvalho: a ir até a fim de vista, à linha do céu de este, na extrema do horizonte. O sol ainda não viera. Mas a claridade. Os cimos das árvores se douravam. As altas árvores depois do terreiro, ainda mais verdes, do que o orvalho lavara. Entremanhã — e de tudo um perfume, e passarinhos piando. Da cozinha, traziam café.

E: — *"Pst!"* — apontou-se. A uma das árvores, chegara um tucano, em brando batido horizontal. Tão perto! O alto azul, as frondes, o alumiado amarelo em volta e os tantos meigos vermelhos do pássaro — depois de seu vôo. Seria de ver-se: grande, de enfeites, o bico semelhando flor de parasita. Saltava de ramo em ramo, comia da árvore carregada. Toda a luz era dele, que borrifava-a de seus coloridos, em momentos pulando no meio do ar, estapafrouxo, suspenso esplendentemente. No topo da árvore, nas frutinhas, tuco, tuco... daí limpava o bico no galho. E, de olhos arregaçados, o Menino, sem nem poder segurar para si o embrevecido instante, só nos silêncios de um-dois-três. No ninguém falar. Até o Tio. O Tio, também, estava de fazer gosto por aquilo: limpava os óculos. O tucano parava, ouvindo outros pássaros — quem sabe, seus filhotes — da banda da mata. O grande bico para cima, desferia, por sua vez, às uma ou duas, aquele grito meio ferrugento dos tucanos: — *"Crrée!"*... O Menino estando nos começos de chorar. Enquanto isso, cantavam os galos. O Menino se lembrava sem lembrança nenhuma. Molhou todas as pestanas.

E o tucano, o vôo, reto, lento — como se voou embora, *xô, xô!* — mirável, cores pairantes, no garridir; fez sonho. Mas a gente nem podendo esfriar de ver. Já para o outro imenso lado apontavam. De lá, o sol queria sair, na região da estrela-d'alva. A beira do campo, escura, como um muro baixo, quebrava-se, num ponto, dourado rombo, de bordas estilhaçadas. Por ali, se balançou para cima, suave, aos ligeiros vagarinhos, o meio-sol, o disco, o liso, o sol, a luz por tudo. Agora, era a bola de ouro a se equilibrar no azul de um fio. O Tio olhava no relógio. Tanto tempo que isso, o Menino nem exclamava. Apanhava com o olhar cada sílaba do horizonte.

Mas não pudera combinar com o vertiginoso instante a presença de lembrança da Mãe — sã, ah, sem nenhuma doença, conforme só em alegria ela ali teria de estar. E nem a ligeireza de idéia de tirar do bolso o companheiro bonequinho macaquinho, para que ele visse também: o tucano — o senhorzinho vermelho, batendo mãos, à frente o bico empinado. Mas feito se, a cada parte e pedacinho de seu vôo, ele ficasse parado, no trecho e impossivelzinho do ponto, nem no ar — por agora, sem fim e sempre.

O TRABALHO DO PÁSSARO

Assim, o Menino, entre dia, no acabrunho, pelejava com o que não queria querer em si. Não suportava atentar, a cru, nas coisas, como são, e como sempre vão ficando: mais pesadas, maiscoisas — quando olhadas sem precauções. Temia pedir notícias; temia a Mãe na má miragem da doença? Ainda que relutasse, não podia pensar para trás. Se queria atinar com a Mãe doente, mal, não conseguia ligar o pensamento, tudo na cabeça da gente dava num borrão. A Mãe da gente era a Mãe da gente, só; mais nada.

Mas, esperava; pelo belo. Havia o tucano — sem jaça — em vôo e pouso e vôo. De novo, de manhã, se endereçando só àquela árvore de copa alta, de espécie chamada mesmo tucaneira. E dando-se o raiar do dia, seu fôlego dourado. Cada madrugada, à horinha, o tucano, gentil, rumoroso: *...chégochégochégo...* — em vôo direto, jazido, rente, traçado macio no ar, que nem um naviozinho vermelho sacudindo devagar as velas, puxado; tão certo na plana como se fosse um marrequinho deslizando para a frente, por sobre a luz de dourada água.

Depois do encanto, a gente entrava no vulgar inteiro do dia. O dos outros, não da gente. As sacudidelas do *jeep* formavam o acontecer mais seguido. A Mãe sempre recomendara zelo com as roupinhas; mas a terra aqui era à desafiada. Ah, o bonequinho macaquinho, mesmo sempre no bolso, se sujava mais de suor e poeira. Os mil e mil homens muitamente trabalhavam fazendo a grande cidade.

Mas o tucano, sem falta, tinha sua soência de sobrevir, todos ali o conheciam, no pintar da aurora. Fazia mais de mês que isso principiara. Primeiro, aparecera por lá uma bandada de uns trinta deles, vozeantes, mas sendo de-dia, entre dez e onze horas. Só aquele ficara, porém, para cada amanhecer. Com os olhos tardos tontos de sono, o bonequinho macaquinho em bolso, o Menino apressuradamente se levantava e descia ao alpendre, animoso de amar.

O Tio lhe falava, com excessivos de agrado, sem o jeito nenhum. Saíam — sobre o se-fazer das coisas. Tudo a poeira tapava. O bonequinho macaquinho, um dia, devia de poder ganhar algum outro chapeuzinho, de alta pluma; mas verde, da cor da gravata, tão sobressaída, com que o Tio, de camisa, agora não estava. O Menino, em cada instante, era como se fosse só uma certa parte dele mesmo, empurrado para diante, sem querer. O *jeep* corria por estradas de não parar, sempre novas. Mas o Menino, em seu mais forte coração, declarava, só: que a Mãe tinha de ficar boa, tinha de ficar salva!

Esperava o tucano, que chegava, a-justo, a-tempo, a-ponto, às seis-e-vinte da manhã; ficava, de arvoragem, na copa da tucaneira, futricando as frutas, só os dez minutos, comidos e estrepulados. Daí, partia, sempre naquele outro-rumo, no antes do pingado meio-instante em que o sol arrebolava redondo do chão; porque o sol era às seis-e-meia. O Tio media tudo no relógio.

De dia, não voltava lá. Se donde vinha e morava — das sombras do mato, os impenetráveis? Ninguém soubesse seus usos verdadeiros, nem os certos horários: os demais lugares, aonde iria achar comer e beber, sobre os pontos isolados. Mas o Menino pensava que devia acontecer mesmo assim — que ninguém soubesse. Ele vinha do diferente, só donde. O dia: o pássaro.

Entremeio, o Tio, recebido um telegrama, não podia deixar de mostrar a cara apreensiva — o envelhecimento da esperança. Mas, então, fosse o que fosse, o Menino, calado consigo, teimoso de só amor, precisava de se repetir: que a Mãe estava sã e boa, a Mãe estava salva!

De repente, ouviu que, para consolá-lo, combinavam maneira de pegar o tucano: com alçapão, pedrada no bico, tiro de espingardinha na asa. Não e não! — zangou-se, aflito. O que cuidava, que queria, não podendo ser aquele tucano, preso. Mas a fina primeira luz da manhã, com, dentro dela, o vôo exato.

O hiato — o que ele já era capaz de entender com o coração. Ao outro dia seguinte. Aí, quando o pássaro, seu raiar, cada vez, era um brinquedo de graça. Assim como o sol: daquela partezinha escura no horizonte, logo fraturada em fulgor e feito a casca de um ovo — ao termo da achãada e obscura imensidão do campo, por onde o olhar da gente avançava como no estender um braço.

O Tio, entanto, diante dele, parou sem a qualquer palavra. O Menino não quis entender nenhum perigo. Dentro do que era, disse, redisse: que a Mãe nem nunca tinha estado doente, nascera sempre sã e salva! O vôo do pássaro habitava-o mais. O bonequinho macaquinho quase caíra e se perdera: já estando com a carinha bicuda e meio corpo saídos do bolso, bisbilhotados! O Menino não lhe passara pito. A tornada do pássaro era emoção enviada, impressão sensível, um transbordamento do coração. O Menino o guardava, no fugidir, de memória, em feliz vôo, no ar sonoro, até à tarde. O de que podia se servir para consolar-se com, e desdolorir-se, por escapar do aperto de rigor — daqueles dias quadriculados.

Ao quarto dia, chegou um telegrama. O Tio sorriu, fortíssimo. A Mãe estava bem, sarada! No seguinte — depois do derradeiro sol do tucano — voltariam para casa.

E, com pouco, o Menino espiava, da janelinha, as nuvens de branco esgarçamento, o veloz nada. Entretempo, se atrasava numa saudade, fiel às coisas de lá. Do tucano e do amanhecer, mas também de tudo, naqueles dias tão piores: a casa, a gente, a mata, o *jeep*, a poeira, as ofegantes noites — o que se afinava, agora, no quase-azul de seu imaginar. A vida, mesmo, nunca parava. O Tio, com outra gravata, que não era a tão bonita, com pressa de chegar olhava no relógio. Entrepensava o Menino, já quase na fronteira soporosa. Súbita seriedade fazia-lhe a carinha mais comprida.

E, quase num pulo, agoniou-se: o bonequinho macaquinho não estava mais em seu bolso! Não é que perdera o macaquinho companheiro!... Como fora aquilo possível? Logo as lágrimas lhe saltavam.

Mas, então, o moço ajudante do piloto veio trazer-lhe, de consolo, uma coisa: — *"Espia, o que foi que eu achei, para Você."* — e era, desamarrotado, o chapeuzinho vermelho, de alta pluma, que ele, outro dia, tanto tinha jogado fora!

O Menino não pôde mais atormentar-se de chorar. Só o rumor e o estar no avião o atontavam. Segurou o chapeuzinho sozinho, alisou-o, o pôs no bolso. Não, o companheirinho Macaquinho não estava perdido, no sem-fundo escuro no mundo, nem nunca. Decerto, ele só passeava lá, porventuro e porvindouro, na outra-parte, aonde as pessoas e as coisas sempre iam e voltavam. O Menino sorriu do que sorriu, conforme de repente se sentia: para fora do caos pré-inicial, feito o desenglobar-se de uma nebulosa.

E era o inesquecível de-repente, de que podia traspassar-se, e a calma, inclusa. Durou um nem-nada, como a palha se desfaz, e, no comum, na gente não cabe: paisagem, e tudo, fora das molduras. Como se ele estivesse com a Mãe, sã, salva, sorridente, e todos, e o Macaquinho com uma bonita gravata verde — no alpendre do terreirinho das altas árvores... e no *jeep* aos bons solavancos... e em toda-a-parte... no mesmo instante só... o primeiro ponto do dia... donde assistiam, em tempo-sobre-tempo, ao sol no renascer e ao vôo, ainda muito mais vivo, entoante e existente — parado que não se acabava — do tucano, que vem comer frutinhas na dourada copa, nos altos vales da aurora, ali junto de casa. Só aquilo. Só tudo.

— *"Chegamos, afinal!"* — o Tio falou.

— *"Ah, não. Ainda não..."* — respondeu o Menino.

Sorria fechado: sorrisos e enigmas, seus. E vinha a vida.

Primeiras estórias

83 Pirlimpsiquice

93 Nenhum, nenhuma

101 Fatalidade

107 Seqüência

113 O espelho

121 Nada e a nossa condição

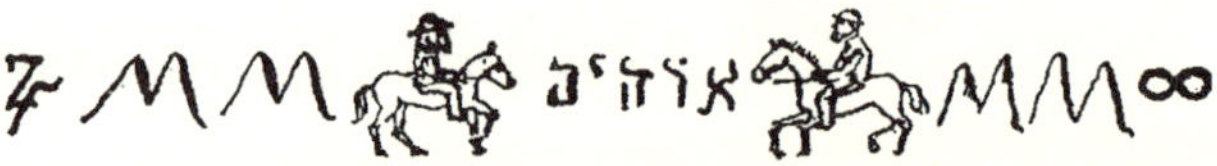

131 O cavalo que bebia cerveja

139 Um moço muito branco

145 Luas-de-mel

40 Anos Livros

A casa do meu avô, Carlos Lacerda

A consciência de Zeno, Italo Svevo (Tradução de Ivo Barroso)

A linguagem secreta do cinema, Jean-Claude Carrière (Tradução de Benjamim Albagli e Fernando Albagli)

A montanha mágica, Thomas Mann (Tradução de Herbert Caro)

A náusea, Jean-Paul Sartre (Tradução de Rita Braga)

As flores do mal, Charles Baudelaire (Tradução de Ivan Junqueira)

Cai o pano, Agatha Christie (Tradução de Clarice Lispector)

Código dos homens honestos, Honoré de Balzac (Tradução de Léa Novaes)

Criação, Gore Vidal (Tradução de Newton Goldman)

Diário de um ladrão, Jean Genet (Tradução de Jacqueline Laurence e Roberto Lacerda)

Libertinagem & Estrela da manhã, Manuel Bandeira

Memórias de Adriano, Marguerite Yourcenar (Tradução de Martha Calderaro)

Memórias, sonhos, reflexões, Carl Gustav Jung (Tradução de Dora Ferreira da Silva)

1968: o ano que não terminou, Zuenir Ventura

Morte e vida severina e outros poemas para vozes, João Cabral de Melo Neto

Mrs. Dalloway, Virginia Woolf (Tradução de Mário Quintana)

Nem só de caviar vive o homem, Johannes Mario Simmel (Tradução de Paulo Buarque de Macedo)

O amante da China do Norte, Marguerite Duras (Tradução de Denise Rangé Barreto)
O deserto dos tártaros, Dino Buzzati (Tradução de Aurora Fornoni Bernardini e Homero Freitas de Andrade)
O eu profundo e os outros eus, Fernando Pessoa
O homem que via o trem passar, Georges Simenon (Tradução de Raul de Sá Barbosa)
O homem sem qualidades, Robert Musil (Tradução de Carlos Abbenseth e Lya Luft)
O nome da rosa, Umberto Eco (Tradução de Aurora Fornoni Bernardini e Homero Freitas de Andrade)
O primeiro homem, Albert Camus (Tradução de Teresa Bulhões de Carvalho da Fonseca e Maria Luiza Newlands Silveira)
O senhor das moscas, William Golding (Tradução de Geraldo Galvão Ferraz)
O senhor Ventura, Miguel Torga
O tambor, Günter Grass (Tradução de Lúcio Alves)
Os cantos, Ezra Pound (Tradução de José Lino Grünewald)
Os mandarins, Simone de Beauvoir (Tradução de Hélio de Souza)
Os tambores de São Luís, Josué Montello
Otto Lara Resende ou Bonitinha, mas ordinária & O beijo no asfalto, Nelson Rodrigues
Poesia, T.S. Eliot (Tradução de Ivan Junqueira)
Primeiras estórias, João Guimarães Rosa
42 sonetos, William Shakespeare (Tradução de Ivo Barroso)
Quarup, Antonio Callado
Razão e sentimento, Jane Austen (Tradução de Ivo Barroso)
Sargento Getúlio, João Ubaldo Ribeiro
Terra dos homens, Antoine de Saint-Exupéry (Tradução de Rubem Braga)
Tropical sol da liberdade, Ana Maria Machado
Viagem & Vaga música, Cecília Meireles

EDIÇÃO
Izabel Aleixo
Daniele Cajueiro

REVISÃO
Cléa Márcia Andrade Soares
Henrique Tarnapolsky
Léia Elias Coelho
Marcelo Eufrásia
Uranga

DIAGRAMAÇÃO
Arte das Letras

CAPA E PROJETO GRÁFICO
Victor Burton

PRODUÇÃO GRÁFICA
Ligia Barreto Gonçalves

Este livro foi impresso em Guarulhos, em abril de 2006,
pela Lis Gráfica e Editora, para a Editora Nova Fronteira.
A fonte usada no miolo é Haarlemmer, corpo 10/13.
O papel do miolo é pólen soft 70g/m^2,
e o da capa é cartão 250g/m^2.

Visite nosso *site:* www.novafronteira.com.br